Bibliotheek Koksijde
Casinoplein 10
8670 Koksijde

Terminal:Uitleenstation Hoog

Lener:Devos, Jeroen#M#19970122

Uitgeleend op 18-04-2015

Nr. 1: Alles over fitness

Barcode: 0564346
Inleverdatum: 16/05/2015
Beveiliging: OK

Nr. 2: Stille zaterdag

Barcode: 099927X
Inleverdatum: 16/05/2015
Beveiliging: OK

Materialen nog thuis

Openstaand bedrag:EURO,00
Voor betalingen ga naar de betaalautomaat

Dank voor uw bezoek en tot ziens

Bart Demyttenaere
en Wim Geysen

Stille Zaterdag

Manteau

Standaard Uitgeverij nv, Mechelsesteenweg 203, B-2018 Antwerpen
www.manteau.be
info@manteau.be

15+

Omslagontwerp: Wil Immink
Vormgeving binnenwerk: 508 Grafische Produkties BV, Landgraaf

ISBN 90 223 1834 6
D/2006/0034/163
NUR 285

Tot besluit van een gezellige avond

is iedereen hier aanwezig
tevreden?

dan mag alles nu
zachtjes verbrijzelen

Gust Gils

(uit: *Een vingerknip*, Amsterdam, De Bezige Bij, 1983)

Goede Vrijdag

Uit de luidsprekers in de woonkamer weerklinkt een diepe bas.

'Der mit der Hand mit mir in die Schüssel tauchet, der wird mich verraten.'

'Ontroerend mooi!' roept Hugo verrukt uit. 'Wat een stembereik!'

Hij kijkt zijn vrouw en zonen triomfantelijk aan. 'Jezus maakt zijn verrader bekend. Vlak voor zijn Laatste Avondmaal. De *Mattheuspassie* van Bach. Johann Sebastian Bach. Het onovertroffen meesterwerk van een van de meest geniale componisten, gebaseerd op het evangelie volgens Mattheus. Geen wonder dat deze muzikale parel na bijna tweehonderdtachtig jaar nog steeds blijft beroeren. Bach is een fenomeen. Daar is iedereen het toch over eens!'

Hans geeft zijn vader een zuinig knikje. Dieter, de jongste zoon, kijkt de andere kant op. Met een brede glimlach zet Veerle de borden op tafel.
'Een slaatje met krokante spekblokjes, acaciahoning, geroosterde pijnboompitten en een gegrild geitenkaasje. Smakelijk eten.'
'Mama, dat ziet er heerlijk uit', zegt Hans.
Hij maakt overdreven smakgeluiden.
'Gelukkig is dit niet ons laatste avondmaal.'
Hugo schuift zijn stoel dichter bij de tafel en legt zijn servet op zijn schoot.
'Let op je woorden', grinnikt hij. 'Misschien is dit wel jouw laatste avondmaal die naam waardig. Ik ben er haast zeker van dat jouw Kathleentje het in de keuken tegen mama moet afleggen!'
Er verschijnt een lichte blos op Veerles wangen.
'Ach Hugo', zegt ze vergoelijkend. 'Plaag hem niet zo. Hans is al zenuwachtig genoeg.'
Dieter rolt met de ogen. Lusteloos prikt hij enkele spekblokjes aan zijn vork.

Ik moet het hen zeggen. Vanavond... Maar hoe moet ik dat aanpakken? Hoe moet ik beginnen? En wanneer? Nu? Nee. Nog niet. Het is beter dat ik nog even afwacht. Pa is in een goede bui vanavond. Dat is alvast mooi meegenomen. Hoe zal hij reageren?

Veerle legt haar hand op de arm van haar jongste zoon.
'Smaakt het niet, jongen?' vraagt ze zacht.
Dieter schrikt op uit zijn gedachten.
'Het is heel lekker', antwoordt hij mat. 'Ik heb gewoon geen trek.'
Hij legt zijn bestek neer en leunt achterover.
Hugo werkt snel een laatste hap naar binnen. Uit de binnenzak van zijn linnen kostuumjas diept hij een aangebroken pakje sigaretten op. Zonder iets te zeggen zet Veerle een grote veelkleurige kristallen asbak naast zijn glas neer. Daarna stapelt ze de borden op elkaar. Hans neemt de fles witte wijn uit de ijsemmer en vult de glazen bij.

Hugo tikt de askegel van zijn sigaret. Hij neemt een flinke slok wijn en murmelt de woorden van Jezus' ultieme smeekbede zachtjes mee.

'Mein Vater, ist's möglich, so gehe dieser Kelch von mir.'

Plagend slaat hij Dieter op de schouder.
'Vader, laat deze kelk aan mij voorbijgaan. Vrij vertaald. Maar daar begrijp jij waarschijnlijk niet veel van. Ach Dieter, wij houden allebei van bassen, maar wij vullen ze heel anders in. De basstemmen die mij bekoren, klinken uiterst

sereen en gevoelig, terwijl de basgitaren van jouw punkhelden met veel geweld door merg en been snijden.'

Hans lacht. Dieter zucht en schudt het hoofd.

Rustig blijven. Laat hem maar. Jaag hem niet op stang. Vooral nu niet. Hij probeert me een beetje te jennen. Vanavond heeft hij besloten zich vrolijk, grappig en gezellig voor te doen. Ik betwijfel of hij dat de hele avond zal volhouden. Zeker als ik... Shit.

'Vader, laat deze kelk aan mij voorbijgaan!' Kon ik dat ook maar zeggen. Ik moet het hem vertellen... Vanavond. Dat hebben we afgesproken. Hoe laat is het?

Hugo drukt zijn sigaret in de asbak uit. Hij staat op en beent naar de muziekinstallatie. Met een vette knipoog naar Hans draait hij de volumeknop naar rechts. Eensgezind en krachtig bejubelt het koor meerstemmig het naderende offer van de Mensenzoon, geboren uit een 'zachte en pure maagd'. Dieter werpt een snelle blik op zijn polshorloge.

Kwart voor acht. Lottes vader is het huis uit. Wekelijkse biljartavond met zijn vrienden. Lotte zei dat ze haar ouders heel voorzichtig zou inlichten. Eerst haar ma. Dat zou volgens haar het makkelijkst zijn. Nicole zal haar wel begrijpen. Ons begrijpen. Lotte en Nicole zijn twee handen op één buik. Daarna zullen ze samen Lottes vader bewerken. Vanavond laat. Natuurlijk zal hij niet blij zijn, maar hij zal er zich bij neerleggen. Volgens Lotte toch. Freddy is een toffe pa. Soms is hij wat kort van stof, maar diep vanbinnen is hij een geschikte kerel... Hij zal er even aan moeten wennen, maar Lotte is er tamelijk gerust over. Zij wel.

Hugo steekt een nieuwe sigaret op.
'Ik heb goed nieuws, Hans. Het burgerlijk huwelijk kan toch doorgaan in de ridderzaal van het gemeentehuis.'
Hans kijkt verrast op.
'Echt?'
'Ja. Het was niet gemakkelijk, maar ik heb het kunnen regelen. Voor jou wil de gemeente graag een uitzondering maken.'
'Bedankt, pa. Da's fijn. Kathleen zal in de wolken zijn. Gisteren hadden we het er nog over. De raadzaal was natuurlijk ook een optie, maar de ridderzaal heeft veel meer uitstraling. Weet je intussen ook al welke schepen ons uiteindelijk gaat trouwen?'

Hugo nipt van zijn wijn en leunt genoegzaam achterover.
'Zeker! Dezelfde meneer die zich met je benoeming bezighoudt, jongen. De schepen van Onderwijs, Gezin en Gelijke Kansen. De enige die bereid was zijn vrije zaterdag voor je op te offeren.'
Dieter legt zijn elleboog op tafel en verbergt zijn gezicht in zijn rechterhand.

Dat heeft hij toch weer mooi kunnen regelen. 'Pa trouwt lievelingszoontje.' Mooie kop voor de streekkrant. Goed voor papa's carrière... Ik kan zijn reactie al voorspellen op de blijde boodschap die ik voor hem in petto heb. Verdomme. Ik moet het nu vertellen. Nu. Voor mijn nieuws bestaat er geen geschikt moment. Kop op, Dieter. Gooi het op tafel. Onverbloemd. Het moet toch gezegd worden. Het kan maar gebeurd zijn. Mama is nog even in de keuken bezig. Laat ik met papa beginnen. De moeilijkste klip eerst. Misschien valt het nog mee. Misschien interesseert het hem zelfs niet. Hoewel. Hem kennende...

'Hoe was het oudercontact gisteravond, Hans?' vraagt Hugo. 'Geen té vervelende ouders?'
Hans schudt het hoofd.

'Nee, het viel goed mee. Iedereen weet stilaan wat er dit jaar kan worden verwacht. Hier en daar zijn er nog twijfelgevallen, maar over het algemeen heb ik nu al een duidelijke kijk op de eindresultaten.'
'Hoe is het met je coördinator? Staan jullie nog steeds op voet van oorlog?'
'Vanderbiezen?' smaalt Hans. 'Die zaak is allang opgelost. Vanderbiezen negeert mij en ik negeer hem. Maak je geen zorgen, pa. Het komt helemaal goed tussen ons. De directeur is bezig met een zogenaamd strategisch plan. Er is een nieuwe werkgroep opgericht. Het comité Teambuilding. Vier keer per jaar mogen we een bijzondere uitbreidingsactiviteit verwachten. In mei gaan we wandelen. Op een zaterdag. Alle collega's zijn vriendelijk verzocht deel te nemen. In alle vrijheid. De directeur heeft de lijst met de inschrijvingen opgevraagd. Ik kijk er heel erg naar uit. Vanderbiezen en ik broederlijk op speurtocht in de Hoge Venen. We worden vast de beste vrienden!'

Onderwijs en politiek. De vaste tafelgesprekken. Steeds een variatie op hetzelfde thema. Papa roert in zijn superpot met interessante thema's. Hans jut hem een beetje op. De preek van pa. Hans krijgt zijn zin, maar papa is en blijft het grote gelijk. Hij wint het debat. Altijd. Straks schakelt mama vanzelf weer subtiel over op een neutraler onderwerp. En ik zit er voor spek en bonen bij. Dieter heeft geen mening. Dieter begrijpt niets van de ingewikkelde maatschappelijke problemen. Nee, volgens pa ben ik al jaren zelf een van zijn grootste problemen. Wel pa, zet je maar schrap. Ik ga het vertellen. Zonder omwegen. Rechttoe rechtaan. Nu.

'Pa?' vraagt Dieter weifelend.

Hugo kijkt verstoord op.

'Wat is er, Dieter?'

Dieter schraapt zijn keel. Veerle zet de soepterrine in het midden van de tafel.

Nee, ma. Verkeerde timing! Had je niet even kunnen wachten?

'Niets, pa. Het is niet belangrijk.'

Dat is het verdomme wel. Een lafaard. Ik ben een lafaard. Een bange schijter. Ik mag het niet meer uitstellen. Dan moet het maar na de soep. Tussen de soep en de aardappelen. Ook een mooi moment!

Veerle schenkt een royale portie waterkerssoep met gerookte zalmsnippers in Hugo's bord.

Daarna bedient ze haar zonen en zichzelf en gaat op haar plaats zitten. Heel even kijkt ze geërgerd in de richting van de muziekinstallatie als het voltallige koor in crescendo oproept tot Jezus' kruisiging.
'Een mens hoort niet eens meer wat hij eet', zegt ze zo gewoon mogelijk. 'Zal ik de muziek een beetje zachter zetten?'
Ze maakt aanstalten om op te staan, maar Hugo houdt haar tegen.
'Niet doen', smeekt hij overdreven pathetisch. 'Je gaat Pilatus toch niet de mond snoeren tijdens het hoogtepunt van zijn politieke carrière? Het moment van de arrestatie waarmee hij tweeduizend jaar later nog zal worden geassocieerd! Luister: "*Ich bin unschuldig an dem Blut dieses Gerechten, sehet ihr zu.*" Ik was mijn handen in onschuld, het is jullie probleem. Prachtig toch. Voel je de dreiging? Het dilemma waarmee de man worstelt? Hoe Bach het verhaal naar een muzikaal hoogtepunt voert? Subliem gewoon!'
Hans trekt bedenkelijk de wenkbrauwen op.
'Je gaat er vandaag wel heel erg in op, pa', zegt hij.
Hugo veegt zijn mond aan de boord van het servet af.

'Het is Goede Vrijdag', zegt hij doodernstig. 'Ik vind dit een uitstekende gelegenheid om bepaalde verwaterde tradities in ere te herstellen. En zoals je weet, ben ik dol op Bach. Goede Vrijdag is het geschikte moment om je geest open te stellen voor de dramatiek van de *Mattheuspassie*.'
Veerle zucht. Dieter schuift zijn stoel achteruit en staat op.
'Waar ga jij ineens naartoe?' vraagt Hugo.
'Naar de wc', antwoordt Dieter droog.
'Kan dat niet wachten tot wij allemaal onze soep op hebben?'
'Ik moet dringend.'
Hugo steekt een sigaret op.
'Ik probeer er een gezellige avond van te maken, Dieter. Mama heeft lekker gekookt en jij gaat tussen twee lepels soep even naar het toilet. Ik vind je houding ongepast en onbeleefd.'
Dieter kijkt verongelijkt.
'Ja, pa', sist hij tussen zijn tanden. 'Net als roken na iedere gang. Dat is ook ongepast en onbeleefd.'
Dieters sneer wordt door een tweehonderdkoppig '*Gegrüsset seist du, Judenkönig!*' naar de achtergrond gedreven.

'Wat zeg je?' roept Hugo luider dan nodig is.
Dieter haalt de schouders op. Zonder om te kijken sloft hij de woonkamer uit.

'Druk geweest vandaag?' vraagt Veerle.
Hugo neemt een trek aan zijn sigaret en inhaleert diep.
'Natuurlijk. Zoals altijd.'
Bij ieder woord blaast hij rookwolkjes over de tafel.
'Het lijkt alsof de dagen almaar korter worden. Niets krijg ik nog afgewerkt. Ik verzuip in het werk. Vooral door de herstructureringen in de Waalse vestiging. Ik word er gek van. Nog een paar weken geduld en dan is dat probleem ook opgelost. Wellicht zal er dan wel iets nieuws te regelen zijn. Ze vinden altijd iets om ons bezig te houden.'
Hij tikt de askegel van zijn sigaret en richt zich tot zijn oudste zoon.
'Frans vroeg me vanochtend naar het koor dat in de mis gaat zingen, maar ik kon me de naam niet meer herinneren.'
'Het is geen koor, pa. Het is een folkgroep. Vrienden van Kathleen. De groep heet That's all folks!'

‘Ach ja. Daar heb je ons eens iets over verteld. Ik was er niet zeker van of jullie dat al definitief hadden beslist. Folk. Past dat eigenlijk in een kerk? Je moet daar voorzichtig mee zijn, Hans. Het is een huwelijksmis, geen popfestival. Niet iedereen houdt van dat soort muziek. Ik kan ook voor een installatie zorgen, als je wilt. Het is zo geregeld. Eén telefoontje naar het hoofd van de technische dienst en het komt voor elkaar. Het *Magnificat* van Bach of het *Te Deum* van Charpentier. Dat hoort iedereen graag. Je moet niemand choqueren.’

‘Kathleen houdt zich met de muziek bezig, pa. Dat hadden we afgesproken. Maak je geen zorgen. Alles komt goed.’

Veerle ruimt de tafel af en gaat naar de keuken. Dieter komt de kamer binnen, gaat op het bankstel zitten en zet de tv aan. De rustige stem van de evangelist Mattheus, die het passieverhaal met de eenvoudige ondersteuning van enkele klavecimbeltonen aan elkaar weeft, krijgt abrupt weerwerk van de ruige bandleden van de Duitse formatie Rammstein. Dieter schakelt het geluid van de tv uit en kijkt naar het klankloze geweld op MTV. Hugo kijkt verstoord op.

'En... wat is de bedoeling?'
'Hoezo, wat is de bedoeling?'
'Ja... wat ben je van plan?'
'Gewoon. Tv-kijken. Dat zie je toch?'
'We zitten aan tafel.'
'Ma is er toch nog niet?'
'Dat heeft er niets mee te maken.'
'Jij kijkt ook naar het nieuws tijdens het eten.'
'Ná het eten.'
'Soms.'
'Zet die tv uit en kom bij ons zitten.'
Dieter zucht en zet de tv uit. Hij staat op, twijfelt even en gaat dan doodgemoedereerd op het kalfsleren bankstel liggen. Hugo slikt zijn volgende opmerking in. Hij maakt een wegwerpgebaar en concentreert zich op het etiket van de rode wijn.
'Monthelie Premier Cru Les Duresses. Een Frans klassewijntje van 1996. Hans, jij mag hem proeven.'
Als een volleerde ober drapeert Hugo een stoffen servet over zijn linkerarm. Met een uitgestreken gezicht giet hij een bodempje wijn in het glas van Hans. Op de achtergrond zet het koor met veel overgave de bekende melodie van 'O Haupt voll Blut und Wunden' in. Hans speelt het spel mee.

Terwijl hij de eerste slok in alle hoeken van zijn mondholte laat klotsen, bestudeert hij het etiket zorgvuldig.
'Bijna voortreffelijk, meneer', prevelt hij. 'Alleen jammer van het nare bijsmaakje.'
Hugo kijkt hem geschrokken aan.
'Bijsmaakje?'
Hans knikt.
'Een kenner zoals ik proeft meteen het laatste vleugje bloed en wonden...'
Hugo begint onbedaarlijk te lachen.
'Bloed en wonden! Onnozelaar! Ik verbied je te spotten met Bach. Dat is pure heiligschennis.'
Hugo schenkt zich een glas in en vult ook Hans' glas bij. Hij proeft van de wijn en steekt een sigaret op. Hij sluit de ogen en laat zich meedrijven op de melodieuze golven van het Londense Oratory Junior Choir.
Dieter ligt op zijn rug en staart naar het plafond.

Ik houd het hier niet meer uit. Hoe moet ik dit aanpakken? Pa is duidelijk niet in de stemming voor een ernstig gesprek. Dat is hij trouwens nooit. Thuis in ieder geval niet. Ergens anders wel. Daar staat hij om bekend.
Halfnegen. Verdomme. Lotte. Ik moet naar haar toe. Ik wil haar stevig tegen me aandrukken,

haar borsten voelen, door haar haar woelen, vrijen, heel diep met haar verbonden zijn. Net zoals de eerste keer.

Hij sluit de ogen.

Elf november. Een mijlpaal in mijn leven. In ons leven. In dat van Lotte en mij. Het toeval had ons samengebracht. Ik moest van pa huis aan huis geld inzamelen voor de jaarlijkse 11.11.11-actie. Goed voor zijn carrière. Alles aan pa is berekend. Gelukkig moest ik niet in mijn eentje van deur tot deur gaan bedelen. Iemand van de jeugdbeweging zou met me meegaan. Een meisje. Een heel leuk meisje. Het klikte meteen tussen ons. Pure magie. De aantrekkingskracht tussen twee sterke magneten. Nooit eerder zo'n warmte voor iemand gevoeld.

We raakten meteen aan de praat. In het begin wisselden we de klassieke onbenulligheden uit. Onze hobby's, de school, mijn favoriete muziek, haar jazzballet. De tijd vloog voorbij. We wandelden door de Rozenstraat, de Hortensiastraat, de Petuniastraat... We zamelden enveloppen in, bedankten en knikten werktuiglijk. Ik zag hoe zij naar mij keek. Hoe zij mij stiekem begluurde. In de Akkerwindestraat had zij het koud. Ze rilde. Ik gaf haar mijn jas, een lekker warm, gewatteerd jeansjack. Zij legde haar handen op mijn wangen en zoende me vluchtig op het voorhoofd. Zo lief en teder. Ik werd warm vanbinnen. Zij merkte het en keek me uitdagend aan. Toen nam ze me bij de hand. Samen zweefden we door de Margrietenstraat en de Vingerhoedskruidstraat. In een ijltempo werkten we de rest van ons parcours af.

De stem die door de boxen van de woonkamer schalt, drukt diepe droefenis uit: '*Und von der sechsten Stunde an war eine Finsternis über das ganze Land, bis zu der neunten Stunde.*' Zwarte wolken pakken zich samen en hullen de aarde in complete duisternis.
Op Dieters mond verschijnt een raadselachtige glimlach.

Op de terugweg begon het te regenen. Inktzwarte wolken dreven onze richting uit en haalden ons in. Lotte bleef staan en keek gebiologeerd naar het krachtige samenspel van wind en water boven onze hoofden. Ze sloot de ogen en hief haar hoofd naar de hemel op. Ze vroeg mij hetzelfde te doen. Wij gaven ons helemaal aan de natuurelementen over. In geen tijd waren we drijfnat. Lottes blonde haren kleefden over haar wangen. Haar jas – mijn jas – was doorweekt. Daarna keken we elkaar diep in de ogen. Ik trok haar dicht tegen me aan en zoende haar op de mond. Ik proefde de zoete smaak van haar tong en haar gehemelte. Het was sensationeel.

'Eli, Eli, lama asabthani?'
Uit volle borst zingt Hugo Jezus' laatste woorden mee.
Mijn God, mijn God, waarom hebt Gij mij verlaten?
Hans schudt ongelovig het hoofd.
'Een late roeping, pa? Of een slag van de religieuze molen? Spelen je hormonen je parten? Vanwaar jouw plotselinge interesse voor het geloof? Ik begrijp niet hoe een doorgewinterde liberaal als jij...'
Hugo onderbreekt hem.
'Volgens mij is het verband tussen Jezus Christus en het pure liberalisme overduidelijk, Hans. Jezus was een liberaal pur sang. Wie zijn leven aandachtig bestudeert, moet erkennen dat hij de ultieme voorvechter van de vrijheidsgedachte was. Door zijn optreden heeft hij krachtig onderstreept dat ieder mens de vrijheid

heeft om zijn leven in te vullen en een richting te geven naar eigen inzicht, zolang hij maar fundamenteel trouw blijft aan zijn oerprincipes. Dat is toch liberalisme ten voeten uit? Toevallig heeft een aantal heetgebakerde fanatiekelingen Jezus' ideeën na zijn dood gerecupereerd en er een wereldgodsdienst van gemaakt. Maar je mag respect niet verwarren met geloof, Hans. Dat zijn twee totaal verschillende begrippen. Mijn respect en bewondering voor de figuur van Jezus hebben niets met een religieus gevoel te maken, maar alles met zuiver liberalisme. Jezus was de grootste voorvechter van de grenzeloze persoonlijke vrijheid.'

Hans kijkt zijn vader een beetje achterdochtig aan. 'Je redenering houdt geen steek, pa. Wat jij verkondigt, gaat evenzeer op voor alle andere politieke stromingen. De socialisten kunnen Jezus net zo goed de ultieme voorvechter van de ideale samenleving noemen, en de christendemocraten verwijzen in hun programma heel uitdrukkelijk naar de christelijke waarden.'

'Universele waarden', verbetert Hugo.

Veerle steekt haar hoofd door het deurgat.

'Hugo, kom jij het vlees even aansnijden?'

Hugo zucht en kijkt naar Dieter. Hij wil iets zeggen, maar Hans is hem voor.
'Ik ga wel', zegt hij snel.
Hans staat op en volgt zijn moeder de keuken in. Hugo schenkt zich nog een glas wijn in. Dieter draait zich om. Hij schopt zijn schoenen uit en gaat op zijn zij liggen. Hij begraaft zijn gezicht in het kussen.

Een week later hebben Lotte en ik de eerste keer seks gehad. Ma en pa waren naar een of ander stom congres. Hans was met zijn Kathleen voor een weekend naar Parijs. Wij gingen naar de bioscoop. Hotel Rwanda. *Aangrijpende film. Lotte was er helemaal door aangedaan. Na afloop stelde ik voor om hier thuis iets te drinken. Het bleef niet bij drinken. In het waterbed van pa en ma ontdekten we voor het eerst elkaars lichaam. Ik merkte dat Lotte nog niet veel ervaring had. Ze liet het initiatief volledig aan mij over. Vinger voor vinger verkende ik haar lichaam. De perfecte welvingen van haar borsten, de zachte glooiing van haar buik, de krulletjes in haar schaamhaar. Lotte zoog zich aan mij vast. Ze kuste me overal en liet mijn handen gewillig de verborgen plekjes van haar lichaam verkennen. Ik wist niet wat me overkwam. Ze overweldigde me, bedwelmde me.*

Nooit eerder had ik zo intens naar iemand verlangd. Toen ik voorzichtig in haar gleed, gilde ze van pijn. Toen ik terugtrok, zag ik dat ze een beetje bloed verloor. Ik schrok, maar ze stelde me gerust. 'Kom maar in mij', fluisterde ze. 'Heel voorzichtig. Jij bent de eerste en ik wil er helemaal voor jou zijn.' Mijn ogen werden vochtig. Lotte nam mijn gezicht in haar armen en droogde mijn tranen met haar lange haren. Ik heb me nooit eerder zo innig met iemand verbonden gevoeld. Lotte zei dat ze van me hield. Dat we voor altijd bij elkaar moesten zijn. En nog veel meer. Ik zei niets. Ik luisterde alleen en keek haar aan. Opnieuw voelde ik tranen opkomen. Tranen van geluk, van opluchting, van pure vreugde.

Hugo draait het volume van de cd-speler lager en port Dieter in zijn zij. Dieter schrikt uit zijn mijmeringen op. Verstoord kijkt hij zijn vader aan. Veerle komt de woonkamer binnen. Ze draagt een schotel met op de steengrill bereid lamsvlees. Voorzichtig schept Hans groenten op de borden. Hugo gaat op zijn plaats zitten. Dieter staat op en volgt met duidelijke tegenzin het voorbeeld van de anderen.

'Lekker', smakt Hugo met overtuiging. 'Heel lekker, Veerle. Het vlees is mals, maar naar mijn smaak een beetje te hard doorbakken. Ik heb het graag rozig vanbinnen, dat weet je. En de asperges zijn een tikkeltje te plat, maar de saus maakt alles goed. Verrukkelijk, schat! Wat zit erin?'
Dieter werpt een steelse blik op zijn moeder.

Te hard doorbakken en te plat. Ma heeft de hele dag in de keuken gestaan omdat meneer vanavond per se het gezellige gezinnetje wil uithangen. Hij is ook eens een avond thuis. De sfeer wordt er niet bepaald beter op. En toch zal ik het moeten zeggen. Maar hoe? Er bestaat geen subtiele manier. Het zal hard aankomen. Hard en plat.

'Niets bijzonders', antwoordt Veerle neutraal. 'Een gewone lamsfond met port, op smaak gebracht met gesnipperde sjalotjes en veel rozemarijn.'
Het gesprek valt stil. Hugo werkt zijn maaltijd in een ijltempo naar binnen. Met de regelmaat van een klok vult hij zijn wijnglas bij. Hans eet rustig en met smaak. Veerle probeert Dieters blik te vangen, maar hij kijkt van haar weg. Afwezig peutert hij met zijn vork in de punt van een witte asperge.

Ondertussen rondt het koor de *Mattheuspassie* waardig af. '*Wir setzen uns mit Tränen nieder...*' Rust, vermoeide ledematen! Rust in vrede...

Hugo legt zijn bestek kruiselings op zijn bord. Hij veegt zijn mond af en staat op.
'Heb je al genoeg?' vraagt Veerle.
Hugo blaast en wrijft over zijn buik.
'Vol is vol', zucht hij. 'Ik heb nog een klein beetje plaats voor het dessert. En voor een goede sigaar natuurlijk.'
Resoluut stapt hij naar de commode, waarop een glanzende humidor prijkt. Met het zilveren sleuteltje opent hij de cederhouten kist met ingebouwde hygrometer waarin hij zijn dure premium sigaren bewaart. Trots bestudeert hij het exquise assortiment luxesigaren van Cubaanse makelij: een Romeo y Julieta, enkele Montecristo's (nummer 2) en een aantal Cohiba's van topkwaliteit. Hij twijfelt tussen een Panatela en een Robusto, maar besluit dan zijn enige Esplendido op te offeren, een joekel van 18,6 mm dik en 17,5 cm lang.

'Jij bent zo stil vanavond', zegt Veerle zacht. Ze kijkt haar jongste zoon onderzoekend aan.

'Is er iets, Dieterke?'
Dieter antwoordt niet.

Dieterke! Mama toch. Je Dieterke is in korte tijd groot geworden. Je moest eens weten wat ik al een week weet.

'Je bent toch niet ziek?' informeert Veerle ongerust.
'Nee', antwoordt Dieter vlak. 'Ik ben niet ziek. Ik ben alleen maar moe.'
Hugo neemt zijn Esplendido voorzichtig tussen duim en wijsvinger en controleert de *body* van de sigaar. Breed glimlachend keurt hij de kwaliteit en de vochtigheid van de peperdure Habana.
'Dieter is moe, Veerle. Waarschijnlijk fysiek en mentaal uitgeput van het ijverig studeren. Je hebt zijn rapport toch gezien: een onvoldoende voor wiskunde en Frans, en al de rest was ook al niet om over naar huis te schrijven.'
Veerle recht haar rug.
'Hugo, alsjeblieft...' zegt ze zacht.
Hugo houdt de sigaar vakkundig onder zijn neusgaten. Hij inhaleert diep en snuift tevreden. De Esplendido is perfect gefermenteerd en van bijzonder hoge kwaliteit.
'Wees gerust, Veerle. Ik ben niet van plan deze

avond te laten vergallen. Zelfs niet door Dieters opmerkelijke resultaten. Vanavond wil ik ongestoord kunnen genieten.'
Hugo neemt de sigaar onder de kop vast. Behendig snijdt hij het vlaggetje met een zilveren sigarenknipper af. Met ingehouden woede kijkt Dieter zijn vader aan.

Ongestoord genieten. Leg die stinkstok neer en kom zitten. Ik heb groot nieuws, pa. Ik ben er zeker van dat je je deze avond nog lang zult herinneren. Ik moet het nu zeggen. Zonder omwegen. De storm trotseren. Ma zal niet weten wat haar overkomt en pa zal ontploffen, maar ik kan niet langer wachten. Ik moet...

'Heb je het weerbericht gehoord, Hans?' vraagt Veerle. 'Het ziet ernaar uit dat je geluk zult hebben, vrijdag. Ze voorspellen voor de volgende dagen rustig en stabiel voorjaarsweer. Tot donderdag blijft het droog. Dat ziet er goed uit.'
'Ik hoop dat je gelijk hebt', zegt Hans. 'Als het echt zo zacht blijft, kunnen we de receptie buiten houden.'
'Ik weet niet of ze dat bij restaurant Laurus zien zitten, Hans.'
'Bruno zal daar niet moeilijk over doen.

Trouwens, toen Frank en Inge trouwden, zat iedereen in de tuin.'
'Dat was in juni.'
Hugo strijkt een lucifer af en steekt het aanmaakhoutje aan.
'Ik vind het geen goed idee', zegt hij.
'Waarom niet, pa?'
Hugo haalt de punt van de sigaar enkele keren door de vlam.
'Ik vind dat men een receptie niet in de open lucht mag houden. Binnen oogt dat... degelijker.'
Hugo steekt de sigaar in zijn mond. Hij steekt ze aan, zuigt diep en laat de rook in zijn mondholte circuleren. Daarna stoot hij vergenoegd de sigarenrook over de tafel uit. De woonkamer vult zich met zacht prikkelende, blauwgrijze nevelslierten.
Dieter schuift zijn bord naar het midden van de tafel. Veerle wil opstaan, maar Hans houdt haar tegen.
'Blijf jij maar rustig zitten, mama. Ik ruim wel even af.'

Dieter kijkt zijn broer na en kruist zijn armen.

Dit is het meest geschikte moment. Nu moet ik het zeggen. Hans is in de keuken. Pa geniet van zijn sigaar en ma kan de eerste schok helpen opvangen. Ze zitten tenminste allebei op een stoel. En dat stomme koor is gelukkig uitgejankt. Ma vermoedt iets. Ze bekijkt me al de hele avond met een vreemde blik. Ze weet gewoon dat er iets in de lucht hangt. Zij voelt dat. Kom. Geen uitstel meer. Nu moet het gebeuren. Het wordt alleen maar erger als ik blijf zwijgen.

Dieter kijkt zijn moeder even in de ogen. Dan zoekt hij de blik van zijn vader.

'Ma... pa...' stamelt hij.

'Whisky!' zegt Hugo gedecideerd. 'Een goede sigaar smaakt nog beter met een degelijke whisky.'

Hij laat zich achterover zakken en kijkt zijn vrouw gemaakt streng aan. Veerle staat op en doet de drankkast open.

'Welke?' vraagt ze.

'Doe maar een single malt van Blackadder. Een dubbele. En schenk de jongens ook maar iets in.'

'Er is nog dessert', pruttelt Veerle tegen, maar haar zwakke protest wordt meteen weggewuifd.

'Straks', grinnikt Hugo. 'De avond is nog lang.'

Dieter slaat de ogen neer.

Hoe is het mogelijk? Ik word straal genegeerd.

Klein kind. Neem je drank zelf. Ma laten draven. Daar ben je goed in. Hoe heb je haar in godsnaam zo ver gekregen? Ik wou je net vertellen... Ik doe al de hele avond mijn uiterste best om te zeggen dat...

'Wat wou je zeggen, Dieterke?' vraagt Veerle.
Ze schenkt een grote scheut Blackadder in en zet het glas voor Hugo neer. Ze gaat zitten en kijkt haar jongste zoon nieuwsgierig aan. Dieter raapt alle moed die hem nog rest bijeen.
'Ma, pa, ik heb een probleem. Ik weet niet hoe ik het moet zeggen, maar...'
Hugo gebaart hem te wachten.
'Alles op zijn tijd en in de juiste volgorde, jongen', zegt hij.
Hij neemt zijn sigaar en doopt het mondstuk even in de whisky. De bruine stronk zuigt het amberkleurige vocht een beetje op.
'Een licht geparfumeerde Esplendido. De kroon op de avond. Moet je ook eens proberen. Later. Als je groot en wijs bent.'
Dieter slaat met zijn vuist op tafel. Hij kookt van ingehouden woede.
'Pa!' schreeuwt hij.
Hans komt nieuwsgierig in het deurgat staan.

Veerle werpt haar man een giftige blik toe.
Hugo neemt een slok whisky, terwijl hij Dieter uitdagend aankijkt.
'Voel jij nu ook maar eens wat zo'n negatieve houding teweegbrengt', sist hij. 'Je hebt vanavond nog geen zinnig woord gezegd. Jouw bijdrage aan de gezelligheid is tot nul te beperken. Zoals gewoonlijk. Je negatieve houding hangt me behoorlijk de keel uit, kerel. Je moeder heeft lekker gekookt, je broer gaat trouwen en ik heb vanavond een belangrijke vergadering afgezegd om gezellig uitgebreid met z'n allen te kunnen tafelen.'
'Een belangrijke vergadering afgezegd?' herhaalt Dieter schamper. 'Jij? Speciaal voor ons? Waar gaan we dat schrijven?'
'Luister, ik blijf je gedrag niet pikken!'
'Ik dat van jou ook niet', mompelt Dieter.
'Wat zeg je?'
'Niets.' Dieter staat op.
'Blijven zitten!' beveelt Hugo streng. 'Ik heb het tegen jou en niet tegen het behangpapier.'
'Dat is nochtans wel je gewoonte', kaatst Dieter terug.
Dieters gsm piept.
'Een nieuw lief? Een van je boeiende vrienden?

Allemaal belangrijker dan je vader, zeker?'
'Hugo. Alsjeblieft', fluistert Veerle.

Dieter grijpt naar zijn broekzak, neemt zijn gsm en leest het bericht.
'Weten ze het thuis al?' leest hij hardop af van het scherm.
Hij kijkt beurtelings naar Hans, zijn moeder en zijn vader. Dan laat hij zijn blik op het schilderij aan de muur rusten. Een reproductie van Wassily Kandinsky.
'Ik hou van je', zegt hij zacht. 'Kusje. Lotte.'
Veerle legt haar servet neer. Hugo gaat rechtop zitten. Hans sluipt onhoorbaar de woonkamer binnen.
'Lotte', herhaalt Hugo toonloos. 'Wie is Lotte?'
Dieters hart klopt in zijn keel.
'Mijn vriendin.'
'Een vriendin?'
'Nee, pa. Mijn vriendin. Mijn lief.'
De as van Hugo's sigaar valt spontaan af, precies naast de kristallen asbak. Geërgerd kijkt Veerle naar de grijze asresten op het nieuwe tafelkleed.
Hugo's ogen boren zich in die van Dieter.
'Heb je weer een lief? Waarom...'
'Dieter?' vraagt Veerle met een zweem van

ongerustheid in haar stem. 'Wat weten ze thuis nog niet?'
Verward wendt Dieter het hoofd af. Veerle staat op en legt haar hand op zijn schouder.
'Dieter?'
Dieters ogen speuren de grond af naar iets wat er niet is.
'Zeg het dan, jongen. Wij luisteren.'
Hulpeloos frunnikt Dieter aan de zoom van het tafelkleed.
'Lotte', zegt hij bijna onhoorbaar zacht. Veerle neemt zijn hoofd in haar handen en draait het naar haar toe.
'Wat is er met Lotte?'
Dieter probeert de vragende blik van zijn moeder te ontwijken.
'Ze...'
'Wat moet je ons vertellen?' dringt Veerle aan.
Dieter haalt diep adem.
'Zwanger', zegt hij dan. Hij slikt even en kijkt zijn moeder verweesd aan. Het grote woord is eruit. Het onzegbare is gezegd.

Met grote ogen kijkt Veerle Dieter aan. Dan draait ze verschrikt het hoofd naar haar man. Met een harde klap zet Hugo zijn glas neer en

mikt de rest van zijn dure sigaar in het glas water van zijn vrouw. De bruine stronk dooft sissend uit en blijft koppig drijven.
'Doe niet onnozel, Dieter.'
Dieter kijkt zijn vader vastberaden aan.
'Een kind, pa. We krijgen een kind.'
Dreigend steekt Hugo een vinger in de lucht.
'Dit is niet grappig! Je gaat te ver!'
'Ik niet, pa', antwoordt Dieter koel. 'Lotte. Zij is te ver. Twee maanden al.'
'Je raaskalt!' briest Hugo.
'Ik word pa, pa.'
'Hou op!'
'En jij opa, pa.'

Woedend stoot Hugo de asbak op de grond. Met een luide knal spat het protserige ding uiteen. Honderden gekleurde kristallen stukjes verspreiden zich over de vloer. Hans klemt zijn kaken opeen. Veerle onderdrukt een gil. Verschrikt brengt ze haar rechterhand naar haar mond. Hugo's wangen lopen vuurrood aan.
'Zwijg!' buldert hij.

Besluiteloos kijkt Hugo naar Hans. Hans naar Veerle. Veerle naar Dieter.

'Weet je het heel zeker?' fluistert ze.
Dieter keert de anderen de rug toe. Wazig kijkt hij naar de felle kleuren van de nep-Kandinsky.
'Blauw', zegt hij afgemeten. 'De zwangerschapstest liegt niet.'
'Kalf!' schreeuwt Hugo.
Hij neemt zijn glas whisky en drinkt het in één teug leeg.
'Het is misschien niet eens van jou', zegt hij droog.
'Hugo!' roept Veerle geschokt.
'Hoe oud is ze?' vraagt Hans. 'Ken ik haar?'
Dieter draait zich langzaam om.
'Zeventien. En ja, je kent haar. Ze zit in jouw klas.'
'Toch niet Lotte Severijns?'
Dieter knikt. Hans schudt ongelovig het hoofd.
'Daar wist ik niets van.'
'Jij moet ook niet alles weten', snauwt Dieter hem toe. 'Het zijn jouw zaken niet.'
Hans kijkt zijn jongere broer indringend aan.
'Toch wel. Ik geef namelijk les aan haar. Nederlands en Engels. Lotte Severijns is een mooie meid. Verstandig. Populair in de klas. Vooral bij de jongens.'
'Zij wel', bijt Dieter hem toe. 'Dat kan van jou

niet gezegd worden. Je lessen schijnen bijzonder saai te zijn.'
'Ik heb gisteren nog met haar vader gesproken', zegt Hans, Dieters opmerking negerend. 'Tijdens het oudercontact. Aardige man. Adjudant bij de landmacht.'
Hugo staat op en wankelt naar de buffetkast. Hij neemt de fles Blackadder en vult zijn glas voor meer dan de helft.
'De dochter van een soldaat?' grijnst hij. 'Dat verklaart al veel. Misschien is de kleine van hem. Soldaten kunnen goed schieten. En niet alleen met een geweer. Dat is algemeen bekend.'
Met open mond staren Veerle en Hans Hugo aan. Dieter slikt.
'Je kent die mensen niet eens!' roept hij gechoqueerd. 'Lotte houdt van haar vader en het kind is van ons.'
Hugo steekt beide armen bezwerend in de hoogte. De whisky klotst wild in het glas heen en weer.
'Het kind is van ons!' imiteert hij schamper.
'Hoor hem. Meneer is zelf nog een kind.'
'Lotte en ik zien elkaar graag.'
'Onnozelaar', sist Hugo tussen zijn tanden.

'Ik hou van haar, pa.'
'Nooit van voorbehoedsmiddelen gehoord, verdomme? Ik dacht dat jouw generatie zo vertrouwd was met pil en condoom? Altijd de mond vol van seks, maar als het er echt op aankomt, weten ze nergens van. Hoe kun je zo stom zijn! En dat in deze tijd...'

Veerles ogen vullen zich met tranen.
'Jongen toch', zegt ze zacht. 'Wat zullen de mensen zeggen?'
Als door een wesp gestoken vaart Dieter tegen haar uit.
'De mensen kunnen me de rug op, ma!'
'Wat moet ik op school vertellen?' vraagt Hans. 'Aan mijn collega's? Daar heb je waarschijnlijk niet over nagedacht. Leuk hoor! Bedankt! Ik ben nog niet eens vast benoemd.'
'Bemoei je er niet mee', briest Dieter.
'Ik zal nogal commentaar krijgen', gaat Hans onverstoorbaar verder. 'Achter mijn rug. Ik kan de reactie van sommige collega's perfect voorspellen. Vanderbiezen zal lachen. Toffe broer ben jij!'
'Zwijg toch. Zak.'
Veerle snuit haar neus en zucht diep.

'Hans heeft niet helemaal ongelijk, Dieter. Waarom moet je alles altijd zo ingewikkeld maken? Hoe moeten we dat uitleggen aan de familie? De buren? Mijn vriendinnen?'
'Je hoeft niks uit te leggen.'
'Ze zullen denken dat ik een slechte moeder ben. Dat wij je verkeerd hebben opgevoed.'
'Dat heeft daar niks mee te maken.'
'We kunnen nergens meer komen.'

Peinzend laat Hugo het glas whisky in zijn hand ronddraaien. De Blackadder walst tegen de wanden en laat dunne, stroperige gordijnen achter op de binnenkant van het glas.
'IJs', bromt hij. 'Hans, wil jij enkele ijsblokjes voor me halen?'
'IJs?' herhaalt Hans.
'Ja, ijs', zegt Hugo bits. 'Veel ijs. Om af te koelen. Ik ben eraan toe.'
Hans staat op en snelt naar de keuken.
Schoorvoetend gaat Dieter weer op zijn plaats zitten. Hugo wrijft door zijn dunner wordende haar.
'Er komt gewoon geen einde aan', zegt hij meer tegen zichzelf dan tegen Dieter. 'Wat we met jou al hebben meegemaakt! Als kind moesten we om

de haverklap naar het ziekenhuis voor een gebroken voet of arm. Meneertje had een bijzondere voorliefde voor gevaarlijke situaties. Van muurtjes springen, op het dak klimmen, de aap uithangen. En dan die affaire met het buurmeisje. De vechtpartij met je voetbaltrainer. Die gênante vertoning toen de politie je 's nachts dronken thuisbracht omdat je niet meer op je eigen benen kon staan. Al jaren problemen op school. Op al je scholen! En nu weer dit. Moest dat per se vanavond? Kon je daar niet wat vroeger mee aankomen? Overmorgen is het Pasen. Volgende week trouwt je broer. In juni zijn het gemeenteraadsverkiezingen. Die zijn belangrijk voor mij. Je weet goed wat daar van afhangt. Je hebt weer een geschikt moment uitgekozen!'
'Voor jou is er nooit een geschikt moment', snuift Dieter. 'Jij bent altijd weg. En als je thuis bent, moet iedereen je met rust laten omdat je moe bent.'
'Let op je woorden. Ik moet altijd alles oplossen wat jij verknoeit. Jij moet niet te hoog van de toren blazen. Je bent bijzonder slecht geplaatst om kritiek te geven.'

De telefoon rinkelt. Veerle wil opstaan, maar bedenkt zich. Hans blijft aarzelend in de deuropening staan. In zijn handen draagt hij een glazen kannetje met ijs. Voetje voor voetje schuifelt hij naar zijn plaats, onderweg de resten van de asbak op de vloer ontwijkend. Hugo staat op, neemt de hoorn van het toestel en hangt meteen op. De kristallen korrels knerpen onder de leren zolen van zijn schoenen. Hij neemt enkele ijsblokjes uit het kannetje en laat ze onhandig in zijn glas plonzen. Dan neemt hij een slok whisky en kijkt Dieter met een vreemde blik in de ogen aan.
'Wat gaan jullie ermee doen?'
'Wat bedoel je, pa?'
'Jij bent nog jong. Te jong. Je vriendin trouwens ook. Jullie moeten elkaar eerst beter leren kennen.'
Vragend kijkt Dieter naar zijn moeder.

Waar wil hij naartoe? Waarom zegt hij zoiets? Dit slaat nergens op!

'We kennen elkaar goed', zegt hij verward. 'Goed genoeg.'
'Je beseft toch dat je jeugd voorbij is?'
'Het is mijn leven.'
'Je studies. Je hebt niet eens een diploma.'

'Volgend jaar zoek ik werk.'
'Jij? Jij weet niet eens wat werken is.'
Hugo steekt een sigaret op. Hij inhaleert diep en blaast de rook door zijn neusgaten de kamer in. Op zachte toon neemt hij de draad van het gesprek opnieuw op. Plots klinkt zijn stem warmer, zalvend bijna.
'Er zijn nog mogelijkheden, Dieter. Ik wil je alleen maar helpen. Ik ken een dokter in Antwerpen die heel discreet is. Ik zou met hem kunnen praten.'
Onrustig schuifelt Dieter op zijn stoel.

Bedoelt hij... Nee, dat is niet mogelijk! Die stem! Dat prekerige ondertoontje. Ik moet uitkijken. Opletten wat hij zegt. Ik vertrouw hem voor geen haar...

'Waarover?' reageert Dieter bits.
'Spreek er eerst eens over met je vriendin.'
'Waarover, pa?' dringt Dieter aan.
Hugo gaat onverstoorbaar verder.
'Ik zorg voor een afspraak. Zo snel mogelijk. Liefst volgende week al.'
'Pa?'
'Jullie zijn te jong om nu al een kind te krijgen, laat staan het op te voeden.'
'Wie zegt dat?'

'Verder blijft dit altijd onder ons. Niemand hoeft hier iets van te weten.'
'Wat wil je zeggen, pa?'
'Twee maanden. Het is nog niet te laat, maar we mogen het niet te lang uitstellen. De ingreep gebeurt tegenwoordig volstrekt pijnloos. Uiteraard betaal ik alles.'
Hans schudt ongelovig het hoofd. Veerle kijkt Hugo verbijsterd aan. Ze wil iets zeggen, maar vindt niet de juiste woorden.
Dieters ogen schieten vuur.

Vuile smeerlap! Nog te laf om de dingen bij naam te noemen. Meneer de schepen. Onze huis-en-tuinmoralist.

'Zeg het dan, pa!' roept hij uitdagend. 'Draai er vooral niet omheen.'
'Ach jongen.'
'Krijg je het woord niet over je lippen?'
'Maak het voor ons niet moeilijker dan het al is.'
Veerle staat langzaam op. Smekend gaat ze naast haar man staan.
'Hugo?' vraagt ze met een fijn stemmetje.
Hugo kijkt dwars door haar heen.
'Twee maanden', zegt hij beslist. 'Twee maanden is nog geen kind. Dat is het begin van een vrucht.

Een embryo. Er kan trouwens nog van alles misgaan.'
Veerle wankelt. Ze steunt met haar arm op de tafel.
'Hugo!' roept ze. 'Hugo!'
'Abortus!' schreeuwt Dieter boven haar uit.
Hij kijkt Hugo dwingend aan.
'Abortus, ma. Abortus! Dat is wat hij suggereert. Smeerlap!'
'Zo spreek je niet tegen je vader', antwoordt Hugo kil.
'Lotte en ik willen het kind houden. Het is ons kind!'
Hugo kijkt naar de lange askegel van zijn sigaret. Hij kijkt om zich heen en tikt de as af tegen de wand van het ijskannetje.
'Je kunt het ook afstaan', zegt hij uiterlijk kalm. 'Paren genoeg die geen kinderen kunnen krijgen.'

Veerle begint te huilen. Eerst zacht. Dan barst ze in snikken uit. De tranen rollen over haar wangen. Hans slaat zijn arm om haar schouder.
'Jullie kunnen andere mensen gelukkig maken', gaat Hugo door. 'Mensen die hunkeren naar een kind. Volwassen mensen die verantwoordelijkheid

kunnen dragen en garant staan voor een degelijke opvoeding en een zekere toekomst. Je hebt geen idee...'

'Hugo!' schreeuwt Veerle.

Ze vliegt op haar man af en probeert hem met haar handen de mond te snoeren.

'Hoor jezelf bezig! Je weet niet wat je zegt!'

Kordaat duwt Hugo haar van zich af.

'Zwijg, Veerle. Iemand moet hier zijn verantwoordelijkheid opnemen. Ik moet hier verdomme altijd alles alleen oplossen. Ik ben blijkbaar de enige die nog rationeel en logisch nadenkt.'

Dieter veert op.

'Ik walg van je!'

Hij spuwt de woorden uit zijn mond.

'Ik beschouw je niet meer als mijn vader. Wat mij betreft, heb ik nooit een vader gehad.'

Hugo staat op en schopt zijn stoel door de eetkamer. Dreigend gaat hij voor Dieter staan. Hij balt zijn linkervuist. Met zijn rechterhand grijpt hij zijn zoon bij de kraag.

'Dat is dan wederzijds', sist hij.

'Hugo! Niet doen!' roept Veerle.

'Wat mag ik niet doen, Veerle? Waarom moet ik zwijgen? Waarom? Voor wie? Voor Hans? Voor

dit miserabele ventje? Wat wil je dat ik doe? Moet ik hem ongelijk geven? Nee, Veerle. Hij heeft gelijk. Voor een keer heeft hij gelijk. Ik ben zijn vader niet. Niet meer.'
'Laat dat, Hugo!' schreeuwt Veerle ontzet.
Dieter draait zich om en rent de kamer uit.

Hugo gaat moeizaam zitten. Automatisch zoeken zijn vingers naar de volgende sigaret.
'Ik wil zijn vader niet meer zijn. Ik beschouw hem niet meer als mijn zoon. Vanaf nu is hij van jou. Van jou alleen.'
Veerle rent naar de keuken en slaat de deur hard achter zich dicht. Hans twijfelt even. Dan werpt hij zijn vader een vuile blik toe en loopt zijn moeder achterna.

Stille Zaterdag

Hugo staart voor zich uit. Hij zit op de bank in de woonkamer. De tv staat aan. De journaliste van *Nova* kijkt hem strak in de ogen. Voor de tweede opeenvolgende keer leidt ze de nachtelijke herhaling van het populaire Nederlandse duidingsprogramma in. Hugo werpt een snelle blik op zijn horloge. Het is kwart voor twee. Hij zucht diep en steekt een sigaret op.

Weg. Ze zijn allemaal weg. Dieter naar buiten. Veerle naar boven. Hans achter haar aan. Ze doen maar. Het is hún keuze. Dat ze maar niet denken dat ik over me heen laat lopen. Dieter is een groot kind. Een snotaap die niet beseft wat hij aanricht. Gelooft hij werkelijk dat zijn vriendinnetje en hij dat aankunnen, een kind krijgen en opvoeden? De geboorte zal wel meevallen, maar wat daarna? Dan kunnen wij dat joch opvangen. Hoe is het mogelijk? Een paar jaar geleden zat hij hier nog met zijn Playmobil te spelen in de woonkamer. Nu is hij volwassen. Zelfverklaard volwassen, want in feite gaat hij gewoon verder met spelen. Moedertje en vadertje. Rotzooien met het liefje. Denkt er niet aan dat zoiets gevolgen heeft.

Op het televisiescherm pronken enkele Ugandese kindsoldaten met hun kalasjnikov. Hugo kijkt dwars door het scherm. Zijn gedachten zijn elders.

Die spot op televisie onlangs. Die moest jongeren duidelijk maken welke problemen ze zich met een baby op de hals halen. Een sensibiliserings-campagne opgevat als videospelletje. Een meisje krijgt een kind, en dan een holle stem op de achtergrond: 'Slaag jij erin om je baby eten te geven, te verschonen, te wassen, liefde te geven, het huis netjes te houden, inkopen te doen, geld te verdienen en tegelijk je afspraken na te komen, te ontspannen, je vrienden te behouden, je sociale leven te beheersen? Probeer het niet uit in het echte leven. Tienermoeder worden is geen spel.'

Goede campagne. Haalt jammer genoeg niets

uit. Het haalt allemaal niets uit. Geen enkele campagne haalt iets uit. Weggegooid geld. Het levende bewijs loopt hier rond. Eerst zien en dan geloven, zegt Dieter. Stom kalf!

Hugo staat op. Moeizaam. Hij wrijft in de ogen en onderdrukt een geeuw. Hij wil zijn glas nemen, maar bedenkt zich. Resoluut zet hij twee stappen in de richting van de drankkast. Verder komt hij niet. Hij schreeuwt het uit als de vlijmscherpe scherven van de gesneuvelde kristallen asbak zich in zijn voet boren.

Au! Die scherven. Eens kijken. Verdomme. Ze zitten er dwars doorheen.

Hij gaat aan de tafel zitten. Voorzichtig pulkt hij de flinterdunne scherven een voor een uit zijn witte tennissokken. Waar de scherven zaten, tekenen zich kleine rode vlekjes af. Met een pijnlijke grimas trekt hij zijn sokken uit. Vluchtig inspecteert hij zijn voetzolen. Hij doet zijn pantoffels aan en strompelt naar de drankkast.

Veerle leek mij niet te begrijpen. Natuurlijk niet. Voor haar is Dieter heilig. Voor haar kan hij nooit te ver gaan. Begrijpt ze dan niet dat die jongen haar boven het hoofd groeit? Moeten wij echt alles van hem blijven tolereren? Maar zo redeneert Veerle niet. Nee. Zij bedekt alles met de mantel der liefde. Doe maar, jongen. Laat je maar lekker gaan. Een schitterend signaal dat ze naar hem uitstuurt. Het is voor haar blijkbaar de normaalste zaak van de wereld dat je als achttienjarige met je vriendin in bed kruipt en haar meteen ook zwanger maakt. Daar hoef je je als ouder toch niet mee te bemoeien? Het is hún leven waar het om gaat, hún vrijheid. Vrijheid, blijheid! Rotmentaliteit, ja.

Hugo neemt de fles J&B en installeert zich weer op de bank. In één beweging schroeft hij de dop van de fles.

Ik herinner me de eerste keren dat Veerle en ik afspraken. Wij waren al blij met een aanraking, een schuchtere poging tot zoenen. Nu moet alles snel gaan. Snel snel snel. Ze zijn zo graag volwassen... Wat zullen de ouders van dat meisje zeggen? Dat meisje. Hoe heette ze weer? Lotte. Charlotte. Zoals Veerles moeder. Die zal ook blij zijn als ze het nieuws verneemt. Wat een geluk dat mijn moeder dit niet meer hoeft mee te maken. En pa al helemaal niet. Hoe had ik hem dit ooit moeten vertellen? Wat een ramp. Stel je voor. De dochter van een beroepsmilitair. Ook dat nog.

Hij schenkt een flinke scheut whisky in zijn glas en drinkt het in één teug leeg. Dan neemt hij de afstandsbediening en schakelt over naar een andere zender.
'Tot negen uur kunt u kijken naar de herhaling van *Terzake*', deelt een vrouwenstem droog mee.

Zijn hele houding. Weken, maanden, jaren duurt dat nu al. In feite tekende zijn karakter zich reeds af toen hij nog een baby was. Nachtenlang brullen om aandacht. Alleen maar slapen als het hem uitkwam. Zijn pap overgeven. Hoe vaak heeft hij zijn pap niet overgegeven? De ongerustheid, de doktersbezoeken. Niets was er met hem aan de hand. Niets. Dat verzekerden de dokters ons ook. 'Het gaat wel over', zeiden ze. Het is nooit overgegaan. Dieter heeft zijn hele leven overgegeven. Gekotst op alles en iedereen. Ook op mij. Vooral op mij. Regels, principes, hij kan er niet mee omgaan. Hij walgt van mij. Daar heeft hij nooit enige twijfel over laten bestaan. Niets hebben we gemeen. Niets heeft hij van zijn opvoeding overgehouden. Tegendraads doen, ja. Altijd, overal. Zeg ik wit, dan denkt hij zwart. Roep ik zwart, dan gilt hij wit.

Hij mikt een nieuwe scheut whisky in zijn glas en steekt een sigaret op. Dan gaat hij languit achterover liggen. Hij staart naar het sterretje aan het plafond, waar vroeger de koperen luchter hing, een erfstuk van Veerles grootmoeder dat nu ergens in de kelder ligt weg te roesten. Ondertussen probeert hij zich te concentreren op het gesprek tussen de journalist van dienst en een politicus.

Hans. Gelukkig heb ik Hans nog. Die heeft tenminste hersenen in zijn hoofd. Hem zou zoiets nooit overkomen. Volgende week trouwt hij. Hoe moet dat nu verder? Een huwelijk hoort een feest te zijn. Hoe is het mogelijk dat Dieter daar geen rekening mee houdt? Maar dat is het juist. Dieter houdt nergens rekening mee. Met niets of niemand. Wat een moment om over zoiets te beginnen! Had hij niet een week kunnen wachten? Dan was het huwelijk tenminste achter de rug. Er zal wat worden afgelachen op het avondfeest. 'Hebt ge 't gehoord van de jongste van Kempeneers? Hij heeft prijs. 't Groot lot. Hahaha. Win for life.' 'De schepen voor het Gezin verzilvert zijn toekomst!' 'Alvast nieuwe leerlingen aan het ronselen voor de gemeenteschool, Hugo?'

De verontwaardigde toon in de stem van de interviewer doet Hugo opkijken. Geërgerd tast hij naar de afstandsbediening. Hij zet het volume lager en drukt zijn halfopgerookte sigaret in de asbak uit. Zijn blik volgt de oranje sierband die de muur in tweeën deelt en blijft hangen bij de foto's naast de deur. Drie houten kaders. Drie kindergezichten op een zachtpaarse achtergrond.

Dieter. Toen al zo'n brutale blik. Waarom heb ik in 's hemelsnaam zoveel tijd in hem gestoken? Wat doet hij ermee? Stank voor dank, ja, dat krijg je van hem. 'Ik word pa, pa.' Hard is het. Maar het zat eraan te komen. Eigenlijk had ik het kunnen voorspellen. Dieter is Dieter. Geen ruggengraat. Provocateur zonder inhoud. Altijd geweest. Zal altijd zo blijven. Wat een ellende heeft hij ons al niet bezorgd! Achttien jaar. Achttien jaar en bijna vader. Wat deed ik op mijn achttiende? Studeren. Sporten. 's Vrijdags iets drinken met vrienden. Amerikaans biljart spelen in het Billiard Palace. Nooit echt uitgeweest zoals dat tegenwoordig gaat. Dansen? Nooit. Of zelden. Soms een of ander feestje van de studentenclub. Maar dat was anders. Voor ons hoefde het niet noodzakelijk zes uur 's ochtends te zijn voor we thuiskwamen.

Dieter is niet uitgeweest als het al niet opnieuw ochtend is. En dan uitslapen. De dag verslapen. Tegen de tijd dat hij een beetje mens is, trekt hij er alweer op uit. Wat een tijdverspilling. Maar ja, zijn vrijheid is hem heilig. Daar mag je zelfs geen opmerking over maken. Hij heeft echter geen flauw idee van wat vrijheid inhoudt! Echte vrijheid. Dat begrip gaat hem te boven. Voor hem betekent vrijheid losbandigheid. Wat koopt hij met zijn houding, vraag ik mij af. Niets. Ja, toch. Een kind. Hoe is het mogelijk? Een kind! Dieter vader. Dat is... dat kan toch helemaal niet? Hoe gaat hij het grootbrengen? Gaan Lotte en hij samenwonen misschien, of gaan ze trouwen? Waarvan gaan ze leven? 'Ik zoek wel werk', zei hij. Ja. In zijn dromen. Wat moet hij aanvangen zonder zijn diploma van secundair onderwijs? Ze zullen hem graag zien komen: 'Ik heb mijn technische school niet afgemaakt, maar ik kan al goed lassen...'

Mijn god. Wat een toestand. Een whisky. Nog een bodempje whisky en dan ga ik slapen. En morgen plaats ik de dingen in hun juiste perspectief. Dat kind moet weg. Zonder meer.

Hij geeuwt luid. Dan rekt hij zich uit en drinkt zijn glas leeg.

Het nieuws zal hier in het dorp ongetwijfeld heel wat stof doen opwaaien. Ik hoor ze al bezig in 't Karrenwiel. Achter mijn rug. Over minder dan twee maanden zijn er gemeenteraads-verkiezingen. Tegen die tijd weet iedereen het. Perfecte timing. Hoe moet ik dat verantwoorden? Kost me ongetwijfeld stemmen, daar kun je van op aan. Maar zover is het nog niet. Dieter heeft niet geantwoord op mijn voorstel om het kind weg te halen. Ja, een korte, impulsieve reactie. Natuurlijk. Zo is Dieter. Impulsief. Onberedeneerd. Ongenuanceerd. Ik hoop dat hij over een paar dagen tot inkeer komt. Dat hij me zal begrijpen. Een kind kan geen kind krijgen. Veerle moet met hem praten. Dieter is altijd meer van haar dan van mij geweest. Wel, dan moet zij het hem duidelijk maken. Vader worden op zijn leeftijd kan echt niet. Hoe oud was ik toen Hans werd geboren? Vierentwintig. Ja, zoiets. Drie jaar na ons huwelijk. Maar ik had tenminste werk, een vast inkomen. Wat heeft Dieter Lotte te bieden? Zijn cd's? Nee. Hij moet eerst zijn studies afmaken. En Lotte ook. Zij zit bij Hans in de klas. A.s.o.-studente dus. Zij moet verder studeren. Nog minstens drie of vier jaar. Morgen bel ik haar ouders. Dieter via die weg tot inkeer brengen. En dat meisje ook. Zij moet begrijpen dat ze haar leven op deze manier kapotmaakt. Want dat is het: kapot. Weg vakanties, weg uitgaansleven, weg onbezorgde jeugd. Weg toekomst.

Hugo sluit de ogen en legt zijn handen gekruist op zijn buik. Hij valt vrijwel meteen in slaap.

Veerle komt de woonkamer binnen. Ze knipt het licht aan. Met haar linkerhand strijkt ze door haar verwarde haren. Ze kijkt naar haar man die languit op de bank ligt. Ze twijfelt even, haalt haar schouders op en gaat weer naar boven. Zacht trekt ze de deur achter zich dicht. Hugo draait zich om. Zijn vermoeide ogen zoeken de digitale klok van de dvd-speler. De rode cijfers geven 04:08 aan.

Tien over vier. Zo laat al. Ik moet in slaap gevallen zijn. Dieter. Mijn reactie. Veerle. Ik moet met Veerle praten. Zij ziet toch ook hoe Dieter zich gedraagt? Ik kan niet blijven doen alsof er niets aan de hand is. Nog één whisky om het af te leren. Deze fles is leeg. Een nieuwe dan maar.

Moeizaam staat hij op. Halfdronken waggelt hij naar de drankkast.

Wat hebben we hier nog staan? Een lek Johnny Walker. Johnny B Good Tonite. Take a walk on the wild side. *Misschien moet ik het wat rustiger aan doen. Begin de drank te voelen.*

Hij neemt de fles bij de hals en sleept zich terug naar de zitbank.

Morgen los ik de problemen op. Het moet. Ik moet dit oplossen. Morgen moeten we praten. Veerle moet inzien dat ik gelijk heb. Als ze een beetje realistisch is, zal ze me begrijpen. Morgen. Zaterdag. Ik zou gaan tennissen met Paul. Hem kan ik maar beter afbellen. Het zou me nochtans goed doen, er even tussenuit.

Hugo zet de fles aan zijn lippen en drinkt gulzig enkele slokken. Een dun straaltje loopt van zijn mondhoek tot in de kraag van zijn hemd. Hij steekt een sigaret op, neemt een trek en legt ze in de asbak.

Nee. Ik moet Paul laten weten dat ik morgen niet kan. Dat er iets onverwachts tussen is gekomen. Ik kan beter thuisblijven. Thuis. Tinne! Zij weet nog van niets. Hoe laat zou het bij haar zijn? Hoe laat is het hier? Bijna kwart over vier. Kwart over elf, dus. Zoiets. Haar dagtaak is alweer een tijd bezig. Zij sjouwt nu vast stenen heen en weer onder de Filippijnse zon. Nooit begrepen wat ze ginder ging zoeken, maar goed. Zij neemt tenminste initiatief. Nu ja, Dieter ook, maar niet op die manier. Tinne zal Dieters nieuws een van de dagen ook te horen krijgen. Hoe zal zij reageren? Ik kan me er wel iets bij voorstellen. Zij zal haar jongste broertje wel weer gelijk geven. Onder één hoedje spelen met mama. Papa bepraten. Hem van zijn standpunt doen afwijken. Maar het zal hen niet lukken. Niet deze keer. Niet deze keer.

Hugo's hoofd draait langzaam opzij. De fles whisky glijdt uit zijn hand en valt met een heldere tik op de tegelvloer. Met kleine golfjes gulpt de drank eruit. De sigaret rookt zichzelf in de asbak op.

Tien voor vijf. Hans komt de woonkamer binnen. Hij trekt zijn jas uit en hangt die over de leuning van een stoel. Hoofdschuddend bekijkt hij de ravage in de woonkamer. De glasscherven op de vloer, de niet-afgeruimde tafel, de snurkende man op de bank. Hij knijpt de lippen stijf op elkaar en kijkt zijn vader ijskoud aan.

Lege fles. Leeg glas. Het ruikt hier naar drank. Dronken. Hij is stomdronken. Hoe is het mogelijk! De gerespecteerde schepen ligt daar languit als een vormeloze zak aardappelen. Schone pa heb ik. Niet eens boven geraakt. Zie hem daar nu liggen! De grote meneer met de grote principes. Dé man van het dorp. Een zatte hoop ellende, ja.

Hij stapt naar de bank en pakt de geopende fles van de grond. Voorzichtig zet hij ze op tafel.

Misschien mocht hij niet bij mama in bed. Zou me niet eens verbazen. Natuurlijk, Dieters nieuws sloeg in als een bom. Ik geloofde ook niet wat ik hoorde. Even dacht ik dat Dieter weer een van zijn flauwe streken uithaalde. Lotte Severijns. Ongelooflijk. Ik kan me nauwelijks voorstellen dat zij met Dieter... Jongens toch! Maar dan zijn reactie. In plaats van er rustig over te praten. Nee. Het moest weer eens met de botte bijl. Pa weet hoe Dieter is. Als je hem zo provoceert...

Kathleen raakte uiteraard alweer meteen in paniek. Zij opperde zelfs om ons huwelijk uit te stellen. 'Kunnen we niet beter wachten tot de storm bij jullie thuis wat geluwd is?' zei ze. 'Onder deze omstandigheden trouwen lijkt me niet ideaal. Er zal daar nogal een sfeer hangen...' Ik heb haar op het hart gedrukt niet te overhaast te reageren. Dieters problemen hebben trouwens niets met ons te maken. We zullen de volgende dagen wel zien wat er gebeurt. Om daar nu meteen alles voor af te blazen... Stel je voor! Verdomme. Had Dieter nu niet even kunnen wachten met zijn nieuwtje? Een week voor het feest. Wat een situatie.

Hans neemt de afstandsbediening van de salontafel en zet de televisie uit. Kreunend richt Hugo zijn hoofd op. Hans kijkt hem kil aan.

Er komt beweging in het lijk. Verdomme. Misschien kan ik nog wegglippen? Nee, hij heeft me gezien. Ik heb echt geen zin in een gesprek, pa. Waartoe zou het trouwens leiden? Jij hebt natuurlijk toch weer gelijk, zoals altijd.

Hugo schrikt als hij zijn zoon ziet. Met zijn rechterhand wrijft hij over zijn voorhoofd.

Wat? Waar? Mijn god. Mijn hoofd draait als een tol. Hans. Hans is thuis. Ik moet met hem praten. Hans en ik begrijpen elkaar. Gelukkig dat ik hem nog heb. Op hem kan ik tenminste rekenen. Altijd.

Hij zoekt de ogen van zijn zoon. Hans kijkt meteen weg.

'Hoe laat is het?' vraagt Hugo.

Hans werpt een snelle blik op zijn polshorloge.

'Vijf uur', antwoordt hij kort.
Hugo knippert met de ogen en wrijft over zijn hals.
'Ik heb dorst', zegt hij schor. 'Droge keel. Wil jij ook iets drinken?'
Hans trekt zijn neus op.
'Nee, dank je. Ik heb geen dorst en jij hebt duidelijk genoeg gehad.'
Met veel moeite komt Hugo overeind. Even blijft hij wankelend staan, daarna laat hij zich weer op de bank neerploffen. Hans kan zijn afschuw nauwelijks onderdrukken.

Walgelijk. Om ziek van te worden. Je hebt verdomme de hele nacht zitten hijsen. Wat verwacht je nu van mij? Dat ik medelijden met je krijg? Dat ik je ondersteun en je naar boven breng? Naar mama? Nee hoor. Dat kan ik haar niet aandoen. Die aanblik wil ik haar besparen. Ik kokhals van je. Ik moet hier weg. Nu.

Hugo peutert een sigaret uit het pakje en steekt ze onhandig tussen zijn lippen.
'Ben je bij Kathleen geweest?' informeert hij, terwijl hij in zijn broekzak naar zijn aansteker zoekt.
'Ja', zegt Hans afgemeten. 'Waar anders?'
Hugo steekt zijn sigaret op. Hij inhaleert, maar

smijt dan vloekend de sigaret naast de asbak.
'De filterkant', blaast hij. 'Er zijn van die dagen dat zelfs de eenvoudigste dingen verkeerd lopen.'
Hans maakt aanstalten om weg te gaan, maar Hugo houdt hem tegen.
'Blijf nog even', zegt hij. 'Blijf nog wat bij mij. Ik wil met je praten. Wij verstaan elkaar goed, niet?'
Hans haalt de schouders op.

Ook dat nog! Gaan we de pathetische toer op? Denk je dat je daarmee alles kunt goedmaken wat je vanavond zelf verknoeid hebt? Ga slapen, ruim je rotzooi op en laat mij vooral met rust!

'Het is al laat', zegt Hans toonloos. 'Ik ben moe.'
'Ik ben trots op je', lalt Hugo. 'Dat weet je. Wij hebben het altijd uitstekend met elkaar kunnen vinden. Wij voelen elkaar perfect aan. Kom bij mij, jongen. Ga zitten. Schenk mij nog iets in en neem zelf ook iets.'
'Ik wil naar bed, pa. We kunnen morgen praten. Het was een zware dag.'
'Dat moet je mij niet vertellen. Het was vooral voor mij een zware dag. Allemaal Dieters schuld. Eerst doodleuk komen vertellen dat zijn vriendin zwanger is en dan weglopen. Net zoals je

moeder. Ze laten mij allemaal in de steek. Maar jij bent zo niet. Nee, jij bent mijn jongen. Kom eens hier.'
Hans zet een stap achteruit, terwijl Hugo naar zijn arm grijpt.

Zielig! En hij meent blijkbaar ook nog wat hij zegt. Ik ben dus zijn jongen. Dieter niet. Niet meer. Dat is wel duidelijk. Dieter heeft zich vanavond in ieder geval volwassener gedragen dan hij. Wanneer zet je mij bij het huisvuil, pa? Wanneer is het mijn beurt? Ze moesten je hier zien zitten, je belangrijke vriendjes van de partij. Walgelijk.

Hugo wrijft in zijn ogen. Dan zoekt hij de blik van zijn zoon.
'Volgende week is het de grote dag, jongen. Zie je het een beetje zitten? Kathleen is al behoorlijk zenuwachtig, zeker?'
Hans antwoordt niet.

Misschien moet ik Dieter helpen. Hij kan wel wat steun gebruiken. Als ik pa nu eens vertel dat mijn huwelijk niet doorgaat? Hoe zou hij daarop reageren? Hij verdient mijn aandacht niet. Nu zeker niet. Ik word kotsmisselijk van zijn melig gedoe.

'Kathleen zal schitteren', gaat Hugo onverstoorbaar verder. 'Ze is een knappe meid. Ze doet me denken aan Veerle toen ik haar pas leerde kennen. Slank, open blik, perfecte maten. Net zoals wij. Wij blijven ook goede maten, hé Hansje?'
Hans fronst zijn voorhoofd.

Houd je kop, man! Je beseft niet wat je zegt. Perfecte maten! Alsof alles alleen daarom draait! De aanblik. Wat de mensen zeggen. Het uiterlijk. Hypocriet! Kathleen moest je horen. Wacht maar. Wat vind je hiervan?

'Onze trouw gaat niet door, pa.'
Hugo kijkt Hans met grote rode ogen aan.
'Wat bedoel je?'
Hans kijkt hem recht in de ogen.
'Precies wat ik zeg. We trouwen niet. Nog niet. Na alles wat er gisteravond gezegd is, vinden we het beter alles uit te stellen.'
'Onmogelijk!' briest Hugo.
Hij neemt een sigaret en steekt ze aan.
'Alles is geregeld. De uitnodigingen zijn al weken geleden verstuurd. De bruidsjurk. Jouw smoking. De auto's. Je moeder is al maanden in de weer om...'
'We hebben het er lang over gehad, Kathleen en ik. Het is voor iedereen beter.'

'Maar dat gaat zomaar niet', roept Hugo verontwaardigd.
Zijn gezicht loopt rood aan.
'Je beseft niet wat je ons aandoet! Mij aandoet! Bel haar op. Nu meteen. Of laat je moeder morgen met Kathleen praten. Vrouwen onder elkaar...'
Hans schudt het hoofd.
'Nee, pa. Het heeft geen zin. Ons besluit staat vast. We stellen alles gewoon uit.'
Hugo balt zijn vuisten.
'Zwijg!' roept hij. 'Zeg niets meer. Waar haal je het om zo impulsief te reageren. Je moet hier nuchter over nadenken. Je moet...'
'Nuchter?' grijnst Hans. 'Dat moet jij zo nodig zeggen, pa. Ik wens je nog een aangename nacht. Welterusten!'
Hij loopt de woonkamer uit en gaat naar boven.

Hugo laat de handen zakken en staart minutenlang wezenloos voor zich uit. Dan staat hij op en strompelt naar de keuken.

Ik ben zat. Ladderzat. Mijn hoofd. Koffie. Veel koffie.

Hij giet water in het reservoir van de koffiezetmachine, neemt een filterzakje en doet er vijf schepjes gemalen koffie in. Dan gaat hij aan de keukentafel zitten.

Hans. Zijn huwelijk. Waar haalt hij het om... Waarom doet hij ons dat aan? Gisteravond zaten we nog te plannen... De zaal. De genodigden. Wat moeten we zeggen? Hoe zullen de mensen reageren als ze het nieuws te horen krijgen? Veerle! Hoe moet ik haar dit vertellen? Ik... Nooit gedacht dat Hans het zo zwaar zou opnemen. Hij begrijpt me dus ook al niet. Ik moet... Hans! Dat kan toch niet? Het huwelijk vindt plaats over zes dagen. Zes dagen! De uitnodigingen zijn al weken de deur uit. Hoe leg ik dat uit? Iedereen zal het weten. Iedereen. Ik moet hem... Eerst de situatie met Dieter, en nu dit. Hans... Dat kan hij toch niet menen? Het huwelijk moet doorgaan. Het móét doorgaan! Is hij helemaal gek geworden? Ik moet praten. Praten. Eerst met Veerle. Dan met Hans. En met Dieter. Hij is de schuld van dit alles. Tijd. Tijd nodig. Maandag vrij. Paasmaandag. Volgende week neem ik vrijaf.

De koffiezetmachine pruttelt. Hugo staat op en sloft naar het aanrecht. Hij neemt een beker uit de kast en schenkt zich een kop koffie in. Hij zet de beker op tafel, neemt melk en een lepeltje en gaat zitten. Terwijl hij roert, kijkt hij naar de wandklok. Bijna halfzes. Hij heft zich uit zijn stoel en zet de radio aan.

Ik begrijp er niets van. Hans was koel, afstandelijk. Zo ken ik hem niet. Het lijkt wel of ze zich plots met z'n allen tegen mij keren. Is mijn standpunt dan werkelijk zo verwerpelijk? Lotte is nog een kind. Zien Hans en Veerle dan niet in dat Dieter zich in zijn ongeluk stort? Stel dat Lotte en hij dat kind houden. Stel dat ze gaan samenwonen. Zij kennen elkaar amper. Wat is de basis van hun relatie? Drijfzand. Het lijkt allemaal romantisch: huisje, tuintje, kindertjes. Zij hebben geen benul van de verantwoordelijkheden die zij zich op de hals halen. Na een tijd zullen zij er vanzelf wel achter komen. Als hun vrienden uitgaan, verder studeren, werk zoeken. Hoe lang duurt het dan nog alvorens hun 'gelukkige' leventje uiteenspat? Nee. Morgen pakken we Dieters probleem aan. Daar moet zo snel mogelijk werk van worden gemaakt. Het maakt niet uit wat Veerle en Hans erover denken. Ik maak een afspraak met dokter Augustijns. Leg hem de situatie uit. Bekijk samen met hem wat we kunnen doen. Moeten doen. In ieder geval discreet te werk gaan. Afgezien van ons gezin hoeft niemand hier iets van te weten. We moeten dit probleem binnenskamers oplossen. Zonder pottenkijkers. En Hans moet beseffen dat hij zich aanstelt. Hij heeft absoluut geen reden om plots te gaan twijfelen over zijn toekomst. Het is niet omdat Dieter zijn eigen ramen ingooit, dat hij dat ook moet doen.

Hugo geeuwt. De nieuwslezer verspreekt zich enkele keren en struikelt vervolgens over het woord 'volksreferendum'. Hugo laat de verschillende nieuwsflitsen stoïcijns over zich heen gaan. De splitsing van Brussel-Halle-Vilvoorde, de zoveelste bomaanslag in Bagdad, de paasdrukte en de uittocht naar zee, de werkzaamheden aan de Antwerpse Ring. Het gaat allemaal aan hem voorbij.

Ik had Hans moeten vragen wie hij vannacht heeft gezien. Kathleen is dus blijkbaar op de hoogte van de situatie. Hopelijk heeft Hans verder niemand iets verteld. En Dieter! Hem moet ik absoluut duidelijk maken dat hij hierover zwijgt. Ik ken hem. Als ik hem niet tegenhoud, weet morgen de hele buurt het. Als het al niet te laat is. Hij lijkt er trots op te zijn dat hij vader wordt. Onbegrijpelijk. In zijn plaats zakte ik door de grond van schaamte. Zijn vriendin. Zwanger. Hoe zit dat eigenlijk, juridisch gezien? Misschien is Lotte nog geen achttien... Ik moet haar ouders bellen. Morgenvroeg. Eerste werk. De plooien gladstrijken. Samen een oplossing zoeken. Als het nieuws uitlekt... Ik mag niet denken aan de gevolgen. Ik kan de verdere campagne wel vergeten. Kan zo al een rist mensen opsommen die zich van mij zullen afkeren. Al het werk van de voorbije jaren te grabbel gegooid door één stomme misstap! Dat mag absoluut niet gebeuren.

Veerle komt de keuken binnen. Ze draagt een lichtblauwe kamerjas. Zonder Hugo een blik waardig te gunnen, loopt ze naar het koffiezetapparaat. Hugo staart haar aan.

Veerle. Waarschijnlijk niet veel geslapen. Heeft ze gehuild? Ze ziet er niet uit. Wallen onder de ogen. De haren verward. Moet ik haar vertellen over Hans? Nee. Afwachten wat zij te vertellen heeft.

Veerle gaat aan tafel zitten. Recht tegenover haar man.

Hij zit aan de keukentafel. Hij is dan toch op

eigen kracht hier geraakt. Dronkaard. De problemen wegzuipen. De hersenen lamleggen. De gemakkelijkste weg. Je zou beter moeten weten, Hugo. In deze omstandigheden een beetje helder blijven kan geen kwaad. Ik heb de hele nacht geen oog dichtgedaan. Heb liggen luisteren. Piekeren. Lotte... Zo jong nog. Dieter vader. Vader! Hoe gaat hij dat aanpakken? Hij studeert nog, heeft geen inkomen. Waar gaan zij wonen? We kunnen hen natuurlijk helpen. Misschien moet hij voorlopig maar hier blijven wonen. Samen met Lotte en het kind. Het huis is groot genoeg. Tinnes kamer staat leeg. We kunnen hen toch niet aan hun lot overlaten? Hugo's reactie was onbegrijpelijk. Abortus. Het idee alleen al. 'Ik ken een dokter in Antwerpen die heel discreet is.' Hij sprak erover alsof het de normaalste zaak van de wereld is. Een routineklus. Maar dat is een leven dat je stopzet, Hugo! Een mens die je het recht van bestaan weigert. Dat zoiets nog maar bij je opkomt, na alles wat we zelf hebben meegemaakt...

Hugo recht zijn rug.

'En schat, een beetje kunnen slapen?'

Veerle zet het koffiezetapparaat uit. Ze neemt de kan en giet de koffie in een thermos over.

‘Weinig’, antwoordt ze.
Hugo schuifelt onrustig op zijn stoel.
‘Ik ook’, zegt hij zacht. ‘Ik ben opgebleven. De hele nacht.’
‘Dat zie ik’, antwoordt Veerle vlak.
Ze neemt een zak brood uit de broodtrommel. Daarna dekt ze met snelle automatische handelingen de tafel. Hugo’s bord zet ze luider dan ze bedoelde voor diens neus op het tafelblad neer. Hugo schraapt zijn keel.
‘Ik heb Hans nog gezien’, zegt hij.
‘Mmm’, murmelt Veerle terwijl ze zonder op te kijken een boterham met zelfbereide aardbeienjam smeert. In enkele snelle happen werkt ze de boterham naar binnen. Dan staat ze op, neemt haar kopje en schenkt zichzelf koffie in. De thermos laat ze op het aanrecht staan.
Hugo probeert het gesprek op gang te houden.
‘Dieter is nog niet thuis’, zegt hij. ‘Typisch.’
Veerle negeert zijn opmerking. Ze kijkt niet eens op. Onverschillig graait ze een suikerklontje uit de pot en dropt het in haar koffie.
‘Wie weet waar hij nu weer uithangt!’ blaast Hugo.
Veerle roert in haar koffie. Hugo kijkt haar even aan en zucht diep. Hij staat op, neemt de

thermoskan en schenkt zich op zijn beurt een verse kop koffie in.
'Ik zal zelf wel nemen', zegt hij toonloos.
Dan stelt hij vast dat het melkkarton leeg is.
'De melk is op', mompelt hij.
Veerle kijkt hem strak aan.
'In de kelder vind je er', zegt ze koel.
'Waar in de kelder?'
'Op het onderste rek. Daar staat ze al jaren.'

Hugo haalt de schouders op. Tegen zijn zin sleept hij zich naar de kelderdeur.
'Ook een goedemorgen', sist hij.

'Op het onderste rek. Daar staat ze al jaren.' Bedankt, Veerle. Je had me net zo goed rechtstreeks naar de koe kunnen sturen. Je nieuwe strategie? Dwarsliggen. Het mes nog dieper in de wonde steken. Een algemene staking in het huishouden. Waarom ben je zo stug? Het lijkt alsof je mij de schuld geeft. Laag, Veerle. Gemeen. We moeten elkaar steunen. Aan hetzelfde touw trekken. De problemen samen aanpakken. Nu meer dan ooit. Samen staan we sterk. Goed, ik was mijn zelfbeheersing even kwijt. Dat was verkeerd. Maar vergeet niet dat jouw zoontje het heeft uitgelokt. Je hoort me

goed. Jouw zoontje. We hebben het nooit met elkaar kunnen vinden, Dieter en ik. Jij wel. Jullie hebben een geheim pact gesloten. Tegen mij. Twee tegen een. En wellicht zit Hans ook mee in het complot, waarom niet!

Als Hugo uit de kelder komt, kijkt Veerle hem recht in de ogen. Haar blik is zacht, maar vastberaden.
'Je ziet er niet uit', zegt ze. 'Je doet er beter aan een paar uur te gaan slapen.'
Hugo wuift haar voorstel grimlachend weg.
'Slapen?' herhaalt hij schamper. 'Ik heb momenteel andere zaken aan mijn hoofd. We moeten eerst een en ander zien te regelen, Veerle. Beslissingen nemen. Het gaat om Dieters toekomst. Mijn toekomst. Onze toekomst. Slapen kan later nog.'
Veerles blik verstart. Met opgeheven hoofd draait ze zich om. Ze neemt het vuilnisblik en de handstoffer uit de kast en beent naar de woonkamer. Hugo schuift zijn bord naar het midden van de tafel en steekt een sigaret op.
Doe dat. Ga maar opruimen. Haal alles weg. Alle rommel van gisteravond. De puinhoop die we achterlieten. De scherven bijeenvegen.

Doen alsof er niets is gebeurd. Daar ben je goed in. Je wilt de realiteit niet onder ogen zien, Veerle.

'Je bent te ver gegaan', roept Veerle haar man vanuit de woonkamer toe.
'Ik niet', antwoordt Hugo bits. 'Dieter ging te ver. Je moet de dingen niet uit hun verband halen.'
Hugo's laatste zin gaat in een driftige veeg verloren. Het geluid van schrapende glasschilfers over de vloertegels bezorgt Veerle kippenvel.
'Je gedrag van gisteren is onvergeeflijk, Hugo. Een vader onwaardig. Je hebt Dieter met zijn rug tegen de muur gezet. Voor het vuurpeloton. Is dat je manier om problemen op te lossen?'
Hugo slaat met zijn vuist op de keukentafel.
'Ik heb hem alleen gezegd dat hij mijn zoon niet meer is. Dat klopt verdomme nog ook! Je kunt niet verwachten dat ik al die jaren blijf...'
Met een luide knal smakt de deur tussen de keuken en woonkamer dicht.
'...zwijgen.'

Hugo gaat achterover zitten. Peinzend kijkt hij door het keukenraam naar buiten. Het is bijna licht. Het belooft een mooie dag te worden. Hij legt zijn rechterbeen over zijn linker. Zachtjes masseert hij de pijnlijke zool van zijn rechtervoet.

Ik heb ze gezegd. De woorden. De verboden woorden. Ik heb onze afspraak verbroken. Zover is het dus gekomen! Ik heb ze uitgesproken. Maar wat wil Veerle? Is het mijn schuld dat we plots met getrokken messen tegenover elkaar staan? Ik laat niet over me heen lopen. Dieter heeft me hiertoe aangezet. Ik kan niet anders. Het is altijd wat met hem. Ik heb zoveel van hem moeten verdragen. Te veel. Dit is de druppel.

Hij neemt een slok koffie. De driftige geluiden uit de woonkamer probeert hij te negeren.

Goed, ik héb het haar beloofd. Afspraak is afspraak. Maar afspraak ten koste van wat? Ten koste van wie? Ten koste van mezelf, ja. Als ze me zo met mijn rug tegen de muur zet, kan ik niet langer zwijgen. Spreken is zilver en zwijgen is goud, maar als je te lang zwijgt, ontplof je vanbinnen. Ik heb het recht om mijn mond open te trekken. Weet ik veel wat Veerle daarover denkt. In feite interesseert het me niet. Dieters vriendin is zwanger. Als we niet ingrijpen, worden we opa en oma! Dát is de kern van de zaak!

Geprikkeld werpt Hugo een blik op de deur achter zich. Het gerinkel en geklingel van glazen en borden werkt hem op de zenuwen.

Dus ik heb niet het recht om mijn gevoelens te uiten. Mijn vrouw wel. Dieter wel. Hans wel. Maar Hugo... Hugo moet zwijgen. Hugo moet over zich heen laten lopen. Dat ze dat maar uit hun hoofd zetten! Ik zwijg al zo lang. Te lang. Vijfentwintig jaar loop ik ermee rond. Vijfentwintig jaar. Een kwarteeuw. Ik hoop dat Veerle dáár eens bij stilstaat, dat ze tenminste eens even de moeite doet om mijn standpunt te begrijpen. Ze heeft de situatie zelf uitgelokt. Zij hoort mij te volgen. Dat heeft ze altijd gedaan. Er is geen reden om mij te laten vallen. Dieter is de oorzaak van alles. Punt uit.

Radio 1 brengt *Life on Mars*, de superhit van David Bowie, in een arrangement van de broertjes Kolacny en gezongen door de succesvolle jonge Aridvoorman Jasper Steverlinck. Veerle is helemaal weg van Steverlinck. Vooral dit nummer vindt ze het einde. Hugo staat op en zet de radio een beetje luider.

Ik moet met Veerle praten. Weet hoe zwaar ze hieraan tilt. Misschien woog zelfs onze

huwelijksbelofte niet op tegen de zwijgplicht die we elkaar oplegden. Misschien. Er zijn zoveel jaren voorbijgegaan. We hebben er al zo lang niet meer over gepraat. Welke film hadden we weer gezien? Kramer versus Kramer. *Met Dustin Hoffman en Meryl Streep. Dé tearjerker van de jaren zeventig. Topper onder de emo-films. Iedereen janken. Veerle ook. Buiten, op straat. Tegen mij aan. Het was kort nadat we de resultaten hadden gekregen. De resultaten. Er is nooit veel over gepraat. We hebben er nooit veel over gepraat, maar die avond, na het bekijken van de film, hebben we het beslist. Heeft Veerle het voor ons beslist. Of liever: toen heeft ze het me gevraagd, en ik heb niet nee gezegd. Omdat ik het niet kon. Drie jaar waren we al aan het proberen. Drie jaar. Zonder gevolg. Het eerste jaar ging het nog. Toen kwamen de eerste opmerkingen. Kort na een vergadering, op het werk: 'En... nog geen kleine Kempeneers op komst?' De wensen van familieleden op oudejaarsavond: 'Dit jaar een mooie baby erbij?' Of botweg, na het eten, bij mijn ouders: 'Jullie komen toch nog wel aan kinderen toe?'*
Overal zag ik baby's. Overal. Op straat, in de bus, in de warenhuizen. De avond van Kramer

versus Kramer *brak er iets. Wel een vreemd moment om zo'n beslissing te nemen. In de film hadden de hoofdrolspelers net een echtscheiding achter de rug, en wij beslisten dat we voor een kind zouden gaan. Wij? Veerle. Zij besliste. Ik gaf mijn goedkeuring. Wat moest ik anders? Het was het enige wat zij nodig had. Mijn goedkeuring. En het zaad van een ander, natuurlijk. Het zaad van een naamloze. Of hoe noem je zo iemand? Hun verwekker? Hun onbekende soldaat?*

De geluiden in de woonkamer worden door Steverlincks krachtige vocale uithalen overstemd. Als de laatste pianotonen door de keuken klinken en de presentator een ander nummer aankondigt, valt de stilte Hugo op.

Ze is gekalmeerd. Waarschijnlijk zit ze aan tafel. Misschien huilt ze. Zou ik nu naar haar toe gaan? Nee. Ik moet haar even laten bekomen. En dan op haar inpraten.

Hij zet de radio weer zachter en leunt tegen het aanrecht aan. Zijn vingers grijpen naar een nieuwe sigaret.

Ik herinner mij ieder woord, iedere beweging. Alsof het gisteren was. Veerle. Aan de telefoon. Iemand van het ziekenhuis. Het gesprek.

– Met Veerle Kempeneers.

– Ja?

– Gelukkig. Dank u, dokter! Dat is goed nieuws. Dat is echt...

– Ah, ja?

– Die hebt u ook al binnengekregen?

– O.

– Ja?

– Ja.

– Ja.

– Mmm.

– Ja, ik begrijp het.

– Jazeker.

– Ja.

– Nee.

– Nee, niet echt.

– Het is gewoon... begrijpt u... het is even...

– Ja. Dat zal ik doen.

– Ja. Goed, dokter.

– Zeker. Ik zal het hem zeggen.

– Dag, dokter.

Hugo neemt een trek en inhaleert diep. Zijn ogen fixeren de kalender van de vuilnisophaaldienst die aan een kromme spijker naast de koelkast hangt.

Veerles onderzoeken bleken in orde te zijn. Er was niets wat erop wees dat zij onvruchtbaar was. Met haar lichaam was niets aan de hand. De resultaten van mijn spermastaal waren slecht. Het vertoonde grote tekorten. Ik kon het niet geloven. Enkele dagen later kreeg ik de waarheid onder ogen. Op papier. Zwart op wit. Het verdict. Per brief. Waar heb ik die brief gelaten? Ik heb hem bewaard, dat weet ik zeker. Even in mijn papieren kijken.

Hij staat op en loopt via de gang naar zijn kantoorruimte. Voor zijn bureau blijft hij even staan. Instinctief trekt hij de onderste lade open. Hij vindt vrijwel meteen waarnaar hij op zoek is: een witte envelop met het opschrift van het ziekenhuis. Hij slentert naar de keuken, terwijl hij de brief aandachtig doorneemt.

0000/0000/00 PAT 5104071123 03/0045111 - 2/0 AMB

Hugo Kempeneers M 07/04/1951
2 101 110 PAT = VERZ   510407 046M25 110 110 0101
Dr. Crabbe Jurgen
Verbiest Veerle 12/05/1956

Volgnummer:	26
Datum:	18/03
Aanvrager:	Dr. Roossens

Ejaculatie.

Aantal dagen onthouding:	4
Volume:	6,8 ml
Viscositeit:	N
Uur:	9u
Kenmerken:	V
Uitzicht:	helder
pH:	7,7
Spermatozoa na (min.):	60
Concentratie milj./ml:	0,1
Vitaliteit (% levend):	50
Morfologie (% ideaal):	7
Rondcellen milj./ml:	1
WBC milj./ml:	0,02
SP.Gen.Cellen:	1,98
Autoagglutinatie:	Neg.

En dan helemaal onder aan het blad geschreven:
Ernstige OAT.

Hugo wrijft over zijn stoppelbaard.

OAT. Letterwoord. Weet niet meer wat het betekent. Iets met een afwijking. Het was lente. De zon scheen. Een late avondzon. Ik zat aan de eetkamertafel en keek de tuin in. Ik voelde me nietig, klein, niets. Het was alsof ze me mijn man-zijn afnamen. Ik had gehoopt dat het allemaal in orde zou komen, dat de resultaten van de test positief zouden zijn. Het was al zo'n gedoe geweest. Ik wist wat slecht nieuws teweeg zou brengen. Voorvoelde hoe mijn toekomst ervan afhankelijk was. Het was oneerlijk. Ik keek door het raam, en toen huilde ik. Ik huilde. De laatste keer in mijn leven. Ik kan me niet herinneren dat ik sindsdien nog heb gehuild. Niet bij de dood van mijn ouders. Niet bij de geboorte van Hans. Bij de geboorte van Hans voelde ik... Het deed mij iets, maar ik was niet ontroerd. Nee. Ik heb alleen gehuild op de dag dat ik deze brief bekeek. Veerle zat bij mij aan tafel. Ze zag het gebeuren. Ik voelde dat ze iets wilde doen, dat ze me wilde troosten... Ze stond op en ging naar de keuken. Ze ging naar de keuken. Alsof er niets...

De deur tussen de keuken en de woonkamer zwaait open. Onhandig moffelt Hugo de brief in zijn broekzak weg. Veerle komt binnen. Ze heeft een vuilnisblik met scherven in de hand. Met haar rechtervoet trapt ze de pedaalemmer open. De inhoud van het blik kiepert ze in de vuilnisbak. Zonder Hugo aan te kijken, loopt ze naar het aanrecht. Ze zet verse koffie. Hugo wil iets zeggen, maar hij bedenkt zich.

Veerle toch. Waarom maak je ineens alles zo ingewikkeld? Doe dan op z'n minst een beetje moeite om mijn standpunt te begrijpen. Dieter haalt het bloed onder mijn nagels vandaan. Zie je dan niet wat hij aanricht? Ik laat niet toe dat mijn eigen kind... Hoe pak ik dit aan? We moeten praten. Wat kan ik zeggen? Dat het me spijt? Het spijt mij helemaal niet. Ik heb gelijk. Het is aan Dieter om zich te verontschuldigen, niet aan mij.

Met gekruiste armen wacht Veerle op de vertrouwde geluiden van de koffiezetmachine. Uiterlijk straalt ze rust uit, maar vanbinnen kookt haar bloed.

Je schuifelt op je stoel heen en weer. Zie je plots in dat je onuitstaanbaar bent? Of voel je opeens de behoefte om je te verontschuldigen voor daarnet? Wil je met me praten? Straks misschien. Praten heeft nu geen zin. Je bent nog steeds dronken. Je verdient het niet. Ik voel me bedrogen, Hugo. Bedrogen. Begrijp je dat? Is het echt nodig om alles aan het wankelen te brengen, om ons gezin in enkele uren tot een puinhoop te reduceren? Je voelt je vast een hele meneer. Je hebt me beloofd om nooit op onze beslissing terug te komen. Nooit, Hugo! Jouw woorden! En dan uitgerekend nu, in deze omstandigheden, acht je de tijd rijp om onze afspraak naast je neer te leggen. Maar ik sta het niet toe, hoor je me? Ik verbied het je! Afspraak is afspraak. Je hebt niet het recht om je belofte te verbreken. Denk je echt dat ik de rol van brave huisvrouw blijf spelen? Het is afgelopen, Hugo. Ik ben het zat mezelf weg te cijferen. Mijn rol is uitgespeeld. Ik ben geen voetveeg. Vanaf nu denk ik aan mezelf. Daar heb jij blijkbaar ook geen moeite mee. Daar heb je nooit moeite mee gehad.

Ze draait zich om en neemt in een snelle beweging de thermoskan. Ze spoelt de kan uit en giet er de verse koffie in. Daarna gaat ze aan tafel zitten.

Mijn hele leven heb ik me voor je uitgesloofd. Ik

heb voor je gewassen, gestreken, gekookt. Daar had jij geen oog voor. Hoe kon dat ook? Je ambities stonden je in de weg. Natuurlijk had je een drukke dagtaak. Dat heb je me zo vaak gezegd. Begrijpelijk dat je 's avonds geen tijd had voor onbenullige zaken als stofzuigen, de vaat doen, het huis opruimen. Ieder zijn taak. Trouwens, wie bracht het geld binnen? Haha! Einde discussie. Tais-toi et sois belle, chérie. *Af en toe voelde je je schuldig. Dan verscheen er een schoonmaakster in huis. Of een vaatwasmachine. Doekjes voor het bloeden. De problemen afgekocht.*
Jij staat steeds in het middelpunt van de belangstelling. Of liever, je zorgt ervoor dat dat zo is. Je sociale betrokkenheid straalt af op het hele dorp. Wat heb je een goede naam, Hugo! En hoe kijkt iedereen naar je op! Hugo Kempeneers. Schepen van Onderwijs, Gezin en Gelijke Kansen. Welk gezin? Welke gelijke kansen? Altijd staan wij in je schaduw. Ja, Hugo. Wij. Niet alleen ik. Ook de kinderen. Als ik erover nadenk, wordt alles zo duidelijk. Waarom heb ik je niet veel eerder doorzien?

Veerle neemt koffie en suiker. Hugo kijkt haar vragend aan, maar zij doet alsof ze hem niet opmerkt.

Overal ben ik je gevolgd. Je troonde me met je mee. Dat stond goed, een voorbeeldige pronkkip naast een opgezet goudhaantje. 'Ja, mevrouw. Jazeker, meneer.' Blijven lachen, altijd blijven lachen, wat er ook gebeurt. Gestaag de draden van het kiezersweb spinnen. 'Komt voor elkaar, meneer. Dat lossen we wel op, mevrouw.' Hoever reiken je contacten, Hugo? Wie zit er in je web? Wie eet er uit je hand? Wie veegt je kont af als je erom roept? En nu, in de situatie waarin je nu verzeild bent geraakt? Wie ga je nu om hulp vragen? Heb je al een plan? Van wie heb je nog iets te goed? Wie van je marionetten haalt je uit de stront? Een of andere kwakzalver in Antwerpen misschien? Vijfentwintig jaar heb ik geknikt. Alles heb ik verdragen, laten gebeuren, weggeslikt. Altijd heb ik je gesteund, ook in moeilijke momenten. Vooral in moeilijke momenten. De maat is vol. Ik waarschuw je, Hugo: als je ook maar iets over ons geheim tegen de kinderen verklapt, is het huis te klein. Dan ga ik hier weg. Definitief.

Veerle schuift haar stoel naar achteren. Zuchtend staat ze op. Uit de fruitschaal plukt ze vier bloedsinaasappels die ze vervolgens doormidden snijdt. Hugo volgt al haar bewegingen. Als Veerle zich bukt om de fruitpers te nemen, blijft Hugo's blik op de billen van zijn vrouw rusten.

We zijn oud geworden. Hoe je daar zit, in je kamerjas. Je magere armen. Je bleke huid. Waar is de tijd gebleven? Ik herinner me je jeugd. Je was mooi. Mijn vrienden waren stikjaloers toen ik ze vertelde dat ik een afspraak met je had. Allemaal vielen ze voor je. Je was een meisje met uitstraling. Een hoge x-factor, zoals dat nu heet. Slank was je. Goed gebouwd. Lange benen, platte buik, prompte borstjes. Ik viel voor je. Ik viel voor je op het eerste gezicht. De kleding die je droeg. De korte jurken. Ik was dat niet gewend. Jij hebt mij verleid. Ik ben voor je gevallen. Waar is het meisje dat mij hartstochtelijk kuste in de regen, voor haar ouderlijk huis? Heb je je schoonheid meegegeven aan je kinderen? Waarom cijfer je jezelf steeds weg ten gunste van hen? Je moet dat niet doen. Ik heb je niet gevraagd je baan in het onderwijs op te geven. Dat was jouw beslissing. Jij wilde er immers helemaal zijn voor de kinderen. De laatste jaren verwijt je mij dat ik er nooit ben. Stilzwijgend. Onuitgesproken verwijten. Je zegt het niet, maar je laat het me voelen. Op een pijnlijke, subtiele manier. Het is niet eerlijk, Veerle. Jij hebt het leven dat je graag wilde leiden. Je hebt het recht niet mij met een vals schuldgevoel op te zadelen. Had je maar kleuterjuf moeten blijven. Ook na de geboorte van Hans, Tinne en Dieter.

Veerle laat de helften van de sinaasappelen beurtelings in het plastic opvangschaaltje leegbloeden. Hugo wrijft zich in de ogen en laat zijn hoofd op zijn handen rusten.

Zeg iets, Veerle. Toe. Praat met mij. Ik hunker naar vroeger, naar de tijd toen we pas getrouwd waren. Onze huwelijksreis. Echternach. Hand in hand langs de Hallerbach. De wandeling naar Beaufort. De natuur, het water, jij. Het was volmaakt. Dolverliefd was ik. Wat blijft ervan over? Wat blijft er van je over? Jaar na jaar ben je veranderd. De tijd kreeg je in zijn macht. De tijd. Sluipmoordenaar van de schoonheid. Na de geboorte van Dieter leek het alsof je taak volbracht was. Je hield ermee op jezelf uit te dossen, was tevreden met de kinderen die je op de wereld had gezet. Jij. Ik had er niets mee te maken. Of toch. Ik mocht mee beslissen of ze geboren zouden worden. En financieren, dat mocht ik ook. Na Dieter was het afgelopen.

Hoeveel jaar leven we nu al naast elkaar? Wie of wat heeft ervoor gezorgd dat liefkozen niet meer hoefde, dat met elkaar slapen geen must meer was, dat we ook zonder lijfelijke warmte verder konden?

Veerle giet het vruchtensap in drie glazen. Twee glazen zet ze naast elkaar op het aanrecht. Het andere glas neemt ze mee naar het keukenraam. Terwijl ze drinkt, kijkt ze naar buiten.

Staar me niet aan, Hugo! Begint de koffie op je in te werken? Kom je geleidelijk weer bij je positieven? Acht je de tijd rijp voor een gesprek? Wel, ik ben er niet aan toe. Je mag voelen dat je te ver bent gegaan. Niet alleen tegenover mij. Ook tegenover Dieter. Wat gezegd is, is gezegd. Je woorden zijn onomkeerbaar. Maar blijkbaar was dat nog niet genoeg. Blijkbaar heb je nu zin om ons hele gezin in je hoogmoedswaanzin mee te sleuren. Je beschouwt jezelf dus werkelijk als het centrum van de wereld. Dat wordt nu op een wel heel pijnlijke manier duidelijk. Vertel me eens: is ons geheim dan zo zwaar om te dragen? Nooit heb je me verteld dat de afkomst van de kinderen je zo bezighield. Waarom dat nu dan willen uiten, na vijfentwintig jaar? Besef je niet wat je Hans, Dieter en Tinne daarmee zou aandoen? Met een paar woorden blaas je hun verleden en hun toekomst op, en dat weet je! Is het dat wat je wilt? Wat heb ik me in je vergist! Alles heb ik voor je opgegeven. Mijn vriendenkring, mijn werk als kleuterleidster, alles. Wat blijft er voor mij na al die jaren huwelijk over? Slechts mijn man als naam... Toen Tinne werd geboren, vond je het beter dat ik deeltijds ging werken. Ik volgde je raad op. Vond dat je gelijk had. De werkduurvermindering deed mij deugd. Ik had opnieuw tijd voor mezelf, tijd die me de eerste jaren ontbrak. Na Dieters komst gaf ik – op jouw aandringen, en na lang wikken en wegen – ook mijn resterende uren op. Dat was beter voor de kinderen. En voor jezelf, dacht je er wellicht bij. Jij was je immers volop aan het inwerken in de gemeentepolitiek. Jij had tijd nodig, niet? Nooit ben ik teruggekeerd. Nu lap je me dit. Je spot met mijn gevoelens waar ik bij sta. Morgen is het Pasen. Dieter weet net dat hij zijn vriendin zwanger heeft gemaakt. Volgende week trouwt Hans. Perfecte timing, Hugo. Waar ben je mee bezig?

Hugo kijkt door het raam.
'De postbode', zegt hij. 'Hij is vroeg vandaag.'

Ze antwoordt niet. Niets! Net een muur waarop elk woord afketst. Ze overtreedt de regels. Onze regels. De omgangsregels waaraan we ons al vijfentwintig jaar houden. We hebben weleens woorden gehad. Woorden, inderdaad. Harde woorden zijn ook woorden. Maar dit is een woordeloos gevecht. Om gek van te worden. Op je tanden bijten, Hugo. Ze kan dat onmogelijk lang volhouden.

Veerle drinkt haar glas leeg en zet het op de vensterbank neer. Ze draait de sleutel van de buitendeur om en loopt naar de brievenbus.

De krant. Daar is hij minstens twee uur zoet mee. Mooi. Hoeven we niet te praten. De krant wordt doorgenomen van voren naar achteren en van achteren naar voren. Systematisch. Dat is een vaststaand gegeven, niet, Hugo? Stel je voor dat je iets belangrijks zou missen. Dat je niet over alle onderwerpen zou kunnen meepraten met de collega's. Dat zou pas een ramp zijn. Je moet je imago van interessant figuur hoog houden. Munitie opdoen voor het lanceren van je onweerstaanbare grappen en grollen. Hoe vaak ik dat al heb moeten horen. 'O, Veerle, jouw man is zo humoristisch! En gevat... Is hij thuis

ook zo? Jullie lachen vast wat af...' Absoluut! Je moest eens weten. Ons geluk kan niet op.
Goed overkomen is voor jou altijd belangrijk geweest. Jij meet je populariteit af aan het aantal brieven en mails dat dagelijks op je afkomt. Wat was je record, Hugo? Je was er zo trots op. Was dat niet na de laatste verkiezingen? Honderdveertien mails op één dag? Met of zonder spam? Met of zonder vleierij en mooipraterij? Zielig, eigenlijk. Ik kan het niet langer aan. Hoe langer ik erover nadenk, hoe meer ik besef dat het allemaal nep is.
Lucht.
Met een harde klap valt de krant naast Hugo op de grond.
'Helaas, geen fanmail of andere belangrijke brieven', zegt Veerle met een bittere klank in haar stem. 'Paasweekeinde. Je zult het alleen met de krant moeten doen. Maar we hebben geluk. Het is een heel dikke. Speciale weekendeditie. Heel veel interessante bijlagen. Heb je veel te lezen.'
Hugo slikt. Hij schudt het hoofd, raapt de krant op en vouwt hem op tafel open.
Ik had niet mogen zwijgen. Ik had haar moeten vertellen hoe ik me voelde. Mijn twijfels

verwoorden. De relatietherapeut. De gesprekken die aan de ingreep voorafgingen. Of we als echtpaar sterk genoeg stonden om op deze manier een kind te krijgen? Of we zeker waren van onze beslissing? Of we de impact van onze keuze goed inschatten? Ik verschool me achter holle frasen. Ontweek elk integer gesprek. De therapeut heeft het niet opgemerkt. Veerle was gelukkig dat ik meewerkte. Ik had sterker moeten zijn. Sterker.
Ik herinner me de dag dat ik het staal moest afleveren. Het ziekenhuis. Aan de balie uitleggen waarvoor ik kwam. De verpleegster, luid: 'Ah, ja. Het is voor een spermastaal. U mag daar plaatsnemen, op de bank.' De andere mannen in de wachtkamer. Hun blikken. Niemand die een woord zei. Het ongemak. De zenuwachtige spanning. De verpleegster die me godzijdank niet veel later opnieuw bij zich riep. 'Hier hebt u een potje. Hou het staaltje warm als u klaar bent, anders kunnen wij er niets mee doen. Steek het potje maar even in uw broekzak en geef het dan zo snel mogelijk af. U hebt zich gewassen voor u hierheen kwam?' Zij verwees me naar de toiletten. Ik ging zitten op het deksel van de wc-pot. Deed mijn broek naar beneden.

Concentreerde me op mijn opdracht. Op het toilet naast mij ging een deur open en dicht. Iemand nam plaats. Iemand met acute diarree. Gezucht. Gehijg. Gekreun. Ik zat daar, luisterde en walgde van de situatie. Stront en sperma. Ik voelde me minder dan een beest.

Veerle opent een blik Kittekat en lepelt het kattenvoer in een plastic bakje. Ze doet de buitendeur open en gaat in de deuropening staan.

'Poes poes poes!' roept ze met een hoog stemmetje.

Vrijwel meteen springt een grijze tijgerkat door het gat in de haag. Veerle hurkt neer en fluistert lieve woordjes. De kat recht haar staart en drukt klaaglijk miauwend haar lijfje tegen haar aan. Veerle neemt het dier op de arm en zet het voorzichtig op de keukenvloer neer.

Stuffie. Dieters kat. Ik weet nog hoe hij een paar jaar geleden met haar thuiskwam. Dieter had Stuffie gevonden op straat. Hij kon het niet over zijn hart krijgen het beestje achter te laten. Typisch iets voor hem. Als kind was hij al begaan met alles wat vier poten heeft. Een week hield Dieter Stuffie in het tuinhuis voor ons verborgen. Uiteindelijk bracht hij mij van haar aanwezigheid op de hoogte. Hugo haat katten, maar ten langen leste kon ik hem er toch van overtuigen Stuffie in huis te nemen.

Terwijl de kat luid smakkend de brokken naar binnen werkt, streelt Veerle het dier liefdevol over de zachte vacht.

Wat een rare naam heeft Dieter je gegeven, hé? Stuffie. Niet bepaald alledaags. Nu ja. Dat is je baasje ook niet. Je laat het je smaken, hé meid? Je lievelingsmaaltje. Brokjes met lever. Lekker? Ik zal wel voor je zorgen tot het baasje terugkomt. Nee, Stuffie, het baasje slaapt niet. Het baasje is op stap. Dat denk ik toch. Hij zal niet lang meer wegblijven. Hoop ik. Hoe laat is het? Bijna halfacht. Als Dieter om acht uur nog niet terug thuis is, bel ik hem op. Hij zal zijn gsm toch bij zich hebben? Dat moet wel. Dieter gaat nooit weg zonder gsm. Hugo maakt zich blijkbaar niet veel zorgen om Dieter. Toen ik naar hem vroeg, klonk er meer wrevel dan ongerustheid in zijn stem door. Ondertussen worden zijn gedachten alweer ingepalmd door de sportgebeurtenissen van dit weekend. Of door de beurscijfers. Dat zou trouwens nieuw zijn: Hugo die zich ongerust maakt over Dieter. Hij

en Dieter leven al zo lang op voet van oorlog...
Van in het begin botste het tussen die twee.
Maar ik wist niet dat de kloof tussen vader en zoon zo breed was. De haat in hun ogen gisteren. Om koud van te worden.

Hugo slaagt er niet in zich op de actuele gebeurtenissen in de krant te concentreren. Het interview met Kim Clijsters, de onzekere toekomst van een eengemaakt Europa, de gespannen relatie tussen twee toppolitici... Vandaag laat het hem volslagen koud. Hij heeft wat anders aan zijn hoofd. Verveeld steekt hij een sigaret op.

Stomme kat. Even koppig en onbezonnen als die baas van jou. Maar jou hebben we gelukkig meteen laten steriliseren. Jij kunt ons tenminste niet voor voldongen feiten stellen. Moet je Veerle zien. Een en al warmte en beminnelijkheid. Heel fijngevoelig, Veerle! Leid al je liefde en aandacht maar af naar dat beest. Ik heb het begrepen. Mijn plaats is duidelijk. Je verkiest de kat boven je eigen man. Da's natuurlijk het gemakkelijkste, niet? Dat beest heeft namelijk geen last van verantwoordelijkheden. Ik wel. Maar dat heb jij zo te zien nog altijd niet door...

Veerle vult een vaalgroen drinkbakje met water en zet het op de grond. De kat lest haar dorst. Veerle glimlacht afwezig.

Dieter heeft altijd al beter met mij dan met zijn vader kunnen opschieten. Hugo begrijpt die jongen niet. Oké, Dieter is niet de gemakkelijkste, maar in zijn hart is hij door en door goed. Zijn plagerijtjes in de keuken. Mijn schort losknopen, de kneepjes in mijn zij, zijn 'vlinderzoentjes' die zomaar komen aanwaaien... Dat ben ik van Hans veel minder gewend. Hans is minder aanhankelijk dan Dieter. Tinne trouwens ook. Zij was al heel jong zelfstandig, wilde zo snel mogelijk haar vleugels uitslaan en op eigen kracht vliegen. Volgende week komt ze even naar huis voor het huwelijk van Hans. Ik zal blij zijn haar weer te zien. Alleen dat voorval met Dieter...

In de hal klinkt gestommel. Hans komt in pyjama de keuken in. Zonder een woord te zeggen geeft hij zijn moeder een vluchtige zoen op haar wang. Dan gaat hij op zijn vaste plaats aan de keukentafel zitten. Veerle schenkt hem ongevraagd een kop koffie in. Hugo probeert tevergeefs oogcontact met zijn zoon te krijgen.

Hans! Hij heeft zich niet aangekleed. Zit daar maar, in zijn pyjama. Hij zegt niets. Niet tegen Veerle, niet tegen mij. Zou ik hem aanspreken? Ik weet niet hoe... Verdomme, Dieter! Hans. Hij moet me toch begrijpen? Ik heb altijd mijn best gedaan. Ben een goede vader geweest. Heb het geprobeerd te zijn. Niemand is op het vaderschap voorbereid. Er bestaat geen cursus vaderen. Dat overkomt je gewoon. Een eerste kind is onvermijdelijk een pedagogisch proefkonijn. Ik heb gedaan wat me het beste leek. En het is goed gekomen. Hans heeft alle kansen gehad. En gegrepen. Dat is het grote verschil met Dieter. Hans heeft gestudeerd, zijn verantwoordelijkheid genomen. Ik heb hem geleid. Bijgestuurd. Zijn weg in het leven helpen vinden. Af en toe ingegrepen. Het resultaat mag er zijn. Een mooie baan, een lieve vriendin, geslaagd voor zijn leven goed en wel begonnen is. Als je dat alles vergelijkt met Dieter... Wat een puinhoop! En nu wil Hans zijn huwelijk afblazen. De wereld op zijn kop. Je reinste waanzin. Dat kan hij toch niet menen? Ik moet daar iets aan doen. Maar hoe? Moet ik het gesprek openbreken? Waar moet ik beginnen? Veerle weet nog van niets.

Veerle zet Hans een glas vers sinaasappelsap voor. Ze wil iets zeggen, maar bedenkt zich.

Hans ziet er moe uit. Veel heeft hij blijkbaar niet geslapen. Hij moet zich verzorgen. Straks wordt hij ziek. Dat zou het toppunt zijn. Ziek op zijn huwelijksdag. Maandag haal ik een doosje vitaminen bij de apotheker. Iets tegen de vermoeidheid. Beter voorkomen dan genezen. Zou ik hem vragen of hij weet waar Dieter is? Hij zit daar maar. Zegt niets. Ook niet tegen Hugo. Complete stilte. Kilte. Wat een toestand. Blijkbaar is Hans erg geschrokken van Hugo's reactie. Ik had niet verwacht dat het hem zó erg zou aangrijpen. Zijn huwelijk! Misschien is het beter dat Dieter daar wegblijft. Zoals de zaken er nu voorstaan, heeft niemand iets aan zijn aanwezigheid. Ziek. De mensen begrijpen het wel. Als hij erbij is, en er wordt wat gedronken... Wie weet tot welke taferelen dat kan leiden. Mijn god. Waar ben ik mee bezig? Dieter móét erbij zijn. Lotte ook. Als zij thuisblijven, is het feest niet compleet. Ik moet straks met de jongens praten. Straks. Zonder Hugo in de buurt. Ik had anders moeten reageren gisteravond. Ik had het voor Dieter moeten opnemen. Waarschijnlijk had hij dat van mij verwacht. Nu heeft hij vast het gevoel alleen te staan. Buiten de familie. Hij zal teleurgesteld zijn. Ook in mij. Vooral in mij. Mijn Dieter! Als ik wist waar hij uithing. Waar zit hij toch?

Hans neemt een broodje uit de rieten mand. Hij snijdt het in tweeën en bedekt een kant met een dikke laag gezouten boter. Zonder op te kijken neemt hij een grote hap.

Ook een goedemorgen. Dag ma. Dag pa. De sfeer zit er goed in. Eén langgerekt collectief ochtendhumeur. Mij best. Ik heb ook geen zin om te praten. Wat valt er te zeggen? Pa heeft vast toch weer het laatste woord. We zijn trouwens nooit goed in praten geweest. Ik toch niet. Pa wel. Pa komt altijd uit zijn woorden. Overal. In alle omstandigheden. Pa praat en iedereen luistert. Zo is het altijd geweest. Tot gisteren. Zolang hij zich niet verontschuldigt ten opzichte van ma, Dieter en mij, heb ik hem niets meer te zeggen. 'Eten en zwijgen, Hanske.' Dat zei hij vroeger altijd tijdens het eten. Praten met een volle mond was onbeleefd. Ik neem alvast nog een broodje. En daarna nog een. Vandaag ga ik mijn ontbijt rekken tot het middagmaal. Langzaam eten, Hans. Vooral blijven eten.

Hij neemt nog een broodje. Besluiteloos houdt

hij het in zijn linkerhand, terwijl zijn ogen de verschillende belegmogelijkheden op tafel afschuimen. Uiteindelijk schuift hij de grote familiepot Nutella naar zich toe.

En pa, hoe gaat het? Alles goed met je? Zijn de wijn en de whisky je een beetje bekomen? Geen antwoord. Dat is niet je gewoonte. Ben je erg geschrokken van mijn aankondiging dat ik mijn huwelijk uitstel? Ik hoop het. Hoe ga je daarmee om? Heb je ma al over mijn beslissing verteld? Zo te zien nog niet. Zij zal vast opgetogen zijn over het nieuws.

Kijk eens, pa! Ik heb mijn pyjama nog aan. Daar kun jij toch niet tegen? Geen pyjama's aan tafel, weet je nog? Een mens wordt pas mens als hij fris gewassen én geschoren én gekleed aan de ontbijttafel verschijnt. Zo was het toch? Ik vrees dat ik vandaag niet in staat ben om meteen mens te worden, pa. Trouwens. Ik ken gezinnen waar de ouders en de kinderen in het weekend gezellig samen in pyjama ontbijten. Dat kun jij je natuurlijk niet voorstellen. Het woord 'gezellig' komt namelijk in jouw woordenboek niet voor. Hoewel, gisteravond heb je erg je best gedaan om er iets van te maken, dat moet gezegd.

En jij, ma. Wat ben jij allemaal aan het doen? Rondhossen. Koffie halen. Natuurlijk. Druk druk druk, hé ma. Gewoon blijven doen. Dan is er niets aan de hand. Lekker bezig blijven. Altijd iets omhanden hebben. Prima. Heb ik iets om naar te kijken.
Ach. Nu zie ik het pas! Jij bent ook nog steeds in kamerjas. Jij durft! Eindelijk. Toch een kleine blijk van rebellie tegen de plaatselijke autoriteit. We zijn in de meerderheid, jij en ik. Besef je dat? Benieuwd hoe lang je je dissidente houding zult volhouden. Ik durf erom te wedden dat je de plooien snel weer glad zult proberen te strijken. Dat doe je toch altijd? Is dat niet jouw rol in deze poppenkast?

De kat springt via het aanrecht op de vensterbank. Ze strekt haar poten en kromt haar rug. Dan vlijt ze zich langzaam neer. Hugo kijkt het beestje nijdig aan. Stuffie trekt er zich niets van aan. Ze valt vrijwel onmiddellijk in slaap en begint zacht te ronken. Veerle legt haar hand op Hans' arm.
'Nog wat koffie, Hans?'
Hans knikt.
'Ja, ma. Doe maar.'

'Grote honger vandaag? Dat is al je derde broodje.'
'Het smaakt', antwoordt Hans.
Hugo vouwt het eerste katern van zijn krant dicht en legt het op de lege stoel naast hem.
'Vergeet niet dat maandag de ceremoniemeester langskomt', zegt Veerle. 'We moeten alles nog eens grondig doornemen. Tot in de kleinste details. We mogen niets aan het toeval overlaten. En donderdagmiddag heb je een afspraak bij de kapper. Om drie uur. Ik ben benieuwd naar Kathleens trouwjurk. Het zal snel vrijdag zijn. Een week is zo om.'
Hans kijkt Hugo ijzig aan. Verward slaat die de ogen neer. Zijn blik valt op het Zweedse kruiswoordraadsel op de laatste pagina. Onhandig plukt hij een pen uit de borstzak van zijn hemd.

Hij heeft niet het recht mij de zwartepiet toe te spelen. Dat had ik werkelijk niet van hem verwacht. Maar als ik er iets over zeg, is het hek helemaal van de dam. Als hij Veerle vertelt dat hij zijn huwelijk wil uitstellen... Zij wordt hysterisch, dat staat vast. Niet reageren. Eerst de problemen van Dieter aanpakken, dan die van Hans. Dieter die zijn vriendin maar hoeft aan te kijken om haar zwanger te maken, terwijl ik... Kruiswoordraadsel. Derde rij horizontaal.

Dierlijk of plantaardig organisme in zijn eerste ontwikkelingsstadium na de bevruchting. Zes letters. Dat kan niet waar zijn...

Veerle slikt. Ze kijkt even op haar polshorloge. Het is tien over acht. Ze staat op en grist het eerste deel van Hugo's krant van de stoel. Ze slaat de krant op het aanrecht open en neemt enkele aardappelen uit de voorraadkast. Met de rug naar de anderen toe begint ze aan de voorbereiding van het middagmaal.

Belachelijk. Aardappelen schillen om acht uur 's morgens! Van pure ellende. Ik kan er niet meer tegen, moet me bezighouden tot Dieter terug is. Hugo zit daar als een plant. Hans ontwijkt het gesprek. Wat een sfeer. Morgen paasfeest. Leuk hoor, in deze omstandigheden. De hele voormiddag in de keuken. En voor wie, dat vraag ik me af. Misschien moet ik het etentje uitstellen. Nee. Dat kan niet. Het moet doorgaan op de dag zelf. Anders is er niets aan. Ma zal het uiteraard niet begrijpen. Ze zal een reden zoeken waarom we het uitstellen. Denken dat ze niet welkom is. Nee. Dat etentje gaat door. We moeten er het beste van zien te maken. Er het beste van maken. Verdomme toch. Ik maak er al zo lang het beste van. Ik kan toch niet eeuwig bemiddelen en doen alsof er niets aan de hand is? Dieter ontspoort. Hugo denkt dat de aarde om hem draait. Hans zit te trillen als een espenblad.

Waar blijft Dieter? Zou ik hem opbellen? Nee. Ik wacht. Ik doe er beter aan te wachten. Eventjes nog. Als hij om halfnegen niet thuis is... Ik hoop dat alles goed komt. Dat het nu juist met deze dagen... Lucht. Frisse lucht.

Veerle zet het keukenraam open. De kat springt verschrikt op en vlucht door het openstaande venster naar buiten. Hans kijkt de kat langzaam kauwend na.

Dag poes! Snel naar buiten. Groot gelijk. Ver weg van de boze, gemene kater. Langzaam eten, Hans. Kwart over acht. Nog drie uur en vijfenveertig minuten en we kunnen weer aan tafel. Middagmaal. Om twaalf uur stipt. Zo is het toch, pa? Twaalf uur en geen minuut later. Alles onder controle. Vaste regels zorgen immers voor structuur. Jouw woorden! Woorden? Je bent uitzonderlijk stil vandaag. Krijgen we geen samenvatting van het nieuws? Geen doordachte politieke beschouwingen? Geen morele boodschap? Zelfs geen gevatte opmerkingen? Tong verloren? Steek je vandaag al je verbale energie in dat stomme kruiswoordraadsel? Vreemd. Vroeger vond je woordpuzzels puur tijdverlies. Dat was toch een tijdverdrijf voor gefrustreerde huismoeders die niets omhanden hadden? Ben je een gefrustreerde huismoeder geworden? Ambities bijgesteld?

Hugo staat op. Hij knijpt zijn ogen tot spleetjes en sloft naar de apotheekkast.

Hoofdpijn. Ik voel me suf. Ik had Veerles raad moeten opvolgen. Ik was beter enkele uren in bed gekropen. Bijna halfnegen. Dieter. Waar hangt hij toch uit? Ik hoop dat hij is bijgedraaid. Dat hij begrijpt dat ik in wezen gelijk heb. Misschien komt hij vandaag niet naar huis. Zou kunnen. Ik zie hem ertoe in staat. Wegblijven. Tot zijn geld op is. Dan staat hij hier terug. Kan papa het oplossen. Zoals gewoonlijk.
Iets innemen. Wat hebben we hier liggen? Antigrippine. Perenterol. Imodium. Kaliumjodidetabletten. Slechts te gebruiken bij kernongeval. Is nu niet bruikbaar. Hoewel. Maalox. Buscopan. Wat heeft een mens toch allemaal in huis? Hier. Aspégic. 1000 milligram. Misschien kan ik beter het hele doosje slikken. Samen met de rest van de troep.

Hij scheurt een zakje open en mengt het poeder met een beetje water in een glas. Dan werkt hij het goedje in één keer naar binnen.

We zouden dit moeten bespreken. Maar hoe? Hoe zou ik... Hans eet. Waar moet ik beginnen? Waar moet ik in 's hemelsnaam beginnen? Moet ik wachten tot Dieter thuis is? Vraag ik Veerle of ze opnieuw bij ons komt zitten? Nee. Dat heeft geen zin. Veerle is duidelijk genoeg. Ze doet alsof ik lucht ben, de oorzaak van alle kwaad. Zij zal haar mond moeten opentrekken! Zij of Hans. Ik blijf hier zitten tot een van hen iets zegt. Zij zijn aan zet.

Hugo zet het lege glas neer. Onmiddellijk plaatst Veerle het in de vaatwasmachine.

Ik begrijp het niet. Dat Hugo zo lang heeft rondgelopen zonder me iets te vertellen... Heb ik hem destijds te hard in een bepaalde richting gedwongen? Ik kan me niet herinneren dat ik dat heb gedaan. Hij wilde ook kinderen. Dat heeft hij altijd gezegd. 'Een huwelijk zonder kinderen is geen huwelijk.' Zijn woorden. Veel is er niet over gepraat, dat is waar. We hebben er nooit echt over gepraat. Ja, in het begin, toen Hans er nog niet was. Er moest een keuze worden gemaakt. Het was niet gemakkelijk.

Natuurlijk niet. Denkt hij dat het voor mij zo vanzelfsprekend was? Alle dagen heen en weer naar het ziekenhuis. De bloedafnames. De echografieën. De uiteindelijke bevruchting. De gynaecologische stoel. Benen open. Wijd gespreid. Sperma inbrengen met een pipet. Veel romantiek kwam er niet bij kijken.
Ik kon nergens met mijn verhaal terecht. Bij niemand. Uitvluchten zoeken op het werk. Daar had Hugo geen last van. Zijn leventje ging gewoon verder die dagen. Daarna ook, besef ik nu. Voor hem heeft de komst van Hans, Tinne en Dieter niets veranderd. Wat heeft hij voor hen opgegeven toen zij ter wereld kwamen? Niets. Waarom heeft hij nooit gezegd dat hij het zo moeilijk had met de manier waarop ik zwanger raakte? Is hij zo geschrokken van Dieters nieuws dat hij zijn hele leven aan de orde begint te stellen? Heeft het zoveel belang hoe ze zijn gemaakt? Het zijn en blijven toch onze kinderen? Ik heb nooit meer stilgestaan bij de gedachte dat ze alle drie door een andere man... Nooit meer.

Hans staat op en ruimt de ontbijttafel af. Het bord van zijn broer laat hij staan. Daarna gaat hij weer zitten. Hij draait zijn stoel een kwart en strekt zijn benen.

Hoofdpijn, pa? De kater verdrijven met Aspégic? Neem nog een whisky. Of een extra bruistablet. Om alles op te lossen. Letterlijk. Weg kater! Weg problemen! Harde schijf gewist. We beginnen opnieuw. Met een leeg geheugen.

Nee, pa. Zo gaat dat niet. Jouw computer is gisteren misschien gecrasht, maar de mijne werkt op volle toeren. Je hebt ons je ware ik getoond, en daar zal altijd iets van blijven hangen. Je hebt een vernietigend virus op me losgelaten. Een destructieve worm. Een Trojaans paard.

Trojaans paard? Die is goed! Komt mijn Grieks nog eens van pas. Latijn-Grieks. Zes jaar lang. Ik moest van jou. Zin of geen zin. Mijn lot lag vast. Jij had beslist. Zoals altijd. Tegen het advies van meester Erik in. Een van je kinderen moest per se in alles uitblinken. 'Een degelijke, klassieke opleiding. Daar kun je alle kanten mee uit, Hansje. Jij hebt het verstand, jongen, jij hebt de brains! Alles gebruiken wat in je zit. Naar een lagere richting overschakelen kan altijd nog. Mama en ik zijn trots op je.'

Er was één klein detail waarmee je geen rekening

had gehouden, pa. Jouw Hansje was niet zo verstandig als jij had ingeschat. Maar gelukkig had je een troef achter de hand: bijlessen! Twee keer per week nog wel. Op de koop toe moest ik je ook nog 'dankbaar' zijn dat ik die van jou 'cadeau' kreeg. En ik maar studeren en mijn uiterste best doen om je te plezieren. 'Menin aeide thea Peleiadeo Achileos oulomenen, he muri' Achaiois alge' etheke... *Bezing mij de wrok, o godin, de wrok van Peleus' zoon Achilles, de verderfelijke wrok die de Grieken ontelbaar veel verdriet bracht...' De eerste verzen uit de* Ilias *van Homeros. Ik ken ze nog. Ik begreep er destijds geen jota van. Ik leerde ze letterlijk uit het hoofd. Ik moest wel. Van jou! Er zweven nog wel meer Griekse flarden in mijn hoofd... en ook veel wrok! Toepasselijk, niet? Dat ik die dode rommel haatte, was een onbelangrijk detail. Ik moest scoren. Jouw hoge verwachtingen inlossen. Boven de rest uittorenen. Een stichtend voorbeeld zijn voor Tinne en Dieter. De lat hoog leggen, daar was je goed in. Druk uitoefenen en aangepaste, nuttige straffen verzinnen waarvoor ik je later dankbaar zou zijn. Vierde jaar Latijn-Grieks. Een zes voor Engels. Net boven de klasmediaan, maar diep onder jouw*

verwachtingen. Kerstvakantie. 'Veertien dagen om het niveau van je Engels op te krikken, jongen. Een kans die je niet mag laten schieten. Ik zal je helpen!' Shakespeare. Hamlet. *Elke dag een pagina uit het hoofd leren. 'To be or not to be: that is the question. Whether 'tis nobler in the mind to suffer, the slings and arrows of outrageous fortune, or to take arms against a sea of troubles, and by opposing end them? To die: to sleep, no more...'*
Tof, pa! Echt, ik ben jullie ontzettend dankbaar. Jou en Mister Shakespeare. Ik heb gescoord en jouw respect gekregen. In jouw ogen heb ik gewonnen, maar dat is een waanbeeld, pa! Ik heb veel verloren. Mijn broer bijvoorbeeld. Dieter, die je altijd zo handig tegen me uitspeelt. Dieter, die in jouw ogen niets goed kan doen. De modelzoon tegenover de mislukkeling. Vannacht deed je het weer. Of je probeerde het althans. Je probeerde ons voor de zoveelste keer tegen elkaar op te zetten. Verdeel en heers. Maar deze keer niet, pa. Deze keer doorzie ik je kuiperijen.
En jij, ma? Doorzie jij hem niet? Jouw Hugo? Jouw man? Waarom ga je verdomme nooit tegen hem in? Waarom wordt er hier nooit gezegd waar het om gaat? Kotsmisselijk word ik ervan.

De telefoon gaat over. Hugo kijkt verstoord van zijn kruiswoordraadsel op. Hans wil opstaan, maar Veerle is hem voor. Ze laat het toestel nog eenmaal rinkelen, haalt diep adem en neemt dan de hoorn in haar hand.

'Hallo. Met Kempeneers.'
...
'Ah... ma...'
...
'Nee, nee. Wij zijn ook al een tijdje op. We zitten nog wat na te praten aan de ontbijttafel.'
...
'Nee, alleen Hugo en Hans. Dieter slaapt nog.'
Hans fronst de wenkbrauwen.

Dieter slaapt nog! Mama, alsjeblieft! Zeg het haar gewoon. Dieter is met slaande deuren vertrokken en wij weten niet eens of hij vandaag nog thuiskomt!

Hij kijkt zijn moeder hoofdschuddend aan.
Veerle slikt, maar gaat verder.
'Dat gaat wel. Heb je nog iets van Gerda gehoord?'
...
'Ah, dat klinkt al beter. Gisteren had ze nog negenendertig graden koorts.'

...

'Hmm.'

...

'Voor de chocolademousse?'

...

'Ja, dat heb ik. Wacht even, dan zoek ik het snel voor je op.'

...

'Nee, nee. Geen probleem. Ik heb het meteen.'

Veerle legt de hoorn neer en haast zich naar het rek waarin een dertigtal kookboeken staan te pronken. Behendig vist ze het standaardwerk van de Boerinnenbond uit het rek. *Ons Kookboek.* Tussen pagina 282 en 283 zit een beduimelde gele post-it. Ze slaat het boek open en wandelt vluchtig lezend naar de telefoon.

'Ja, hallo, ma? Ik heb het gevonden. Heb je iets om te schrijven?'

...

'Het zijn de hoeveelheden voor acht personen.'

...

'Ja, Kathleen had toch gezegd dat ze kwam?'

...

'Ik zal het Hans dadelijk nog eens vragen.'

...

Hans krabt in zijn haar.

Kathleen? Mama toch. Op Kathleen moet je morgen niet rekenen. En op mij misschien ook niet. Ik heb echt geen zin om een hele dag komedie te spelen. Zeg alles af. Dat is voor iedereen het beste.

Veerle gaat onverstoorbaar verder.
'Hmm. Schrijf op. Zes repen chocolade.'
...
'Ik zou pure gebruiken. Melkchocolade vind ik te zoet. Dan zes eiwitten en zes lepels suiker.'
...
'Nee, dat zou ik niet doen. Het is echt gemakkelijk, ma. Klop het eiwit stijf. Voeg de suiker er lepel per lepel bij. Blijven kloppen. En dan de gesmolten chocolade al roerend toevoegen.'
...
'Dat is geen probleem. Hugo moet toch nog naar de winkel. Hij zal je een pak chocolade brengen. Dan kunnen jullie ineens afspreken hoe laat hij je morgen komt oppikken.'
...
'Ja. Dat is een goed idee.'
...

'Ik zal hem zeggen dat hij vroeg genoeg moet komen.'

...

'Goed. Als er nog iets is, dan bel je maar.'

...

'Ah... Niets bijzonders. Nog wat opruimen en al wat klaarmaken voor morgen.'

...

'Ja. Ik zal het doen.'

...

'Dag ma. Tot morgen!'

...

'Da-ag!'

Veerle hangt op, draait zich om en stapt naar het aanrecht. Dan neemt ze een bosje prei, twee takken bleekselderij, enkele wortelen en een kleine bloemkool uit de kast.

Hans kijkt voor zich uit. Hugo pakt een sigaret.

Ze praat. Veerle heeft haar stem teruggevonden. Ze kan nog vriendelijk zijn ook. Aan de telefoon toch. Morgen kan ik dus blijkbaar haar ma weer gaan ophalen. Fijn! Oma op haar paasbest met de potjes chocolademousse. Ik kijk ernaar uit. Niet te geloven. Ieder jaar herhaalt zich hetzelfde scenario. De dag voor Pasen belt ze

voor het recept van haar eigen specialiteit. Kent ze het intussen nog niet uit het hoofd? Ik heb absoluut geen zin in het paasgedoe. Samen naar de mis. Veerle, Hans en ik. Zonder Dieter. Die gaat al jaren niet meer mee. Handjes schudden. Allemaal potentiële kiezers. Ik heb veel zin om Pasen dit jaar gewoon over te slaan. Morgen verrijst de Heer wat mij betreft niet.
Veerle kan dus opnieuw spreken. Dat is een begin. Ze doet alsof er niets aan de hand is. Alsof er niets is gebeurd. Dat is misschien nog de beste manier. Alles gaat gewoon verder. Zwijgen. Oma halen. Naar de mis. Paasmenu. Praten. Het huwelijk van Hans. En daarna het probleemgeval Dieter. Stap voor stap. Alles op zijn tijd. Rationeel blijven.

Hans neemt de thermoskan en schenkt zichzelf koffie in. Zwijgend nipt hij van zijn mok.

Hoe is het mogelijk, ma! Dus zo snel komt er een einde aan de rebellie. Je legt de wapens neer, nog vroeger dan ik had verwacht. De vlag van de schone schijn wappert alweer over het huis. Als je maar lang genoeg volhoudt dat er niets is gebeurd, is het ook niet gebeurd, hé ma. 'We zitten nog wat na te praten aan de ontbijttafel... Dieter slaapt nog...' De tiran zal tevreden zijn.

De weerstand werd moeiteloos gebroken. Ans van tante Gerda is dus blijkbaar genezen. Leuk voor Ans van tante Gerda. Dan kan ze vrijdag bruidsmeisje spelen. Zal ik mijn spel nog even doorspelen? Mama vertellen dat ik het huwelijk niet zie zitten? Dat zou pas wat geven. De sfeer zou er niet op verbeteren. Nu ja, sfeer! Welke?

De keukendeur gaat open. Dieter komt binnen, helm op het hoofd. Veerle draait zich verrast om. Hans kijkt zijn broer vragend aan. Dieter knoopt zijn helm los en legt die rustig in een hoek. Terwijl hij zijn jeansjack losknoopt, kijkt hij zijn ouders en zijn broer vrijpostig en vastberaden aan. Hij neemt de stoel naast die van Hugo en verplaatst hem naar het raam. Hugo's gezicht kleurt langzaam rood. Hij heeft moeite om zich te beheersen.

Dieter. Hij is teruggekomen. Onze held op sokken. Ziet er strijdvaardig uit. Wat een branie! Hij staart mij aan. Onbeschaamd. Veerle kijkt bezorgd. Waarom zegt ze niets? Waarom zegt Dieter niets? De bal ligt in zijn kamp. Hij is verantwoordelijk voor alles wat er gebeurd is. Excuses. Hij moet zich excuseren.

Dat is het minste wat hij kan doen na wat hij aangericht heeft. Zou ik hem ter verantwoording roepen? Nee. Voorlopig niet. Vooral niet nu. De stilte is ondraaglijk. Ik zit hier al zo lang. Hoofdpijn! Gaat niet over. Ik had me niet zo mogen laten gaan.

Veerle legt de prei neer en spoelt haar handen onder de kraan af.

Wat een opluchting. Hij is thuis. Ziet er al even vermoeid uit als Hans. Waar zou hij de hele tijd zijn geweest? Misschien bij Lotte? Dat zou kunnen. Of bij een van zijn kameraden. Hij heeft zoveel vrienden en vriendinnen bij wie hij terechtkan. Het doet er niet toe. Hij is thuis, dat is het belangrijkste. We zijn weer met ons vieren. Wat nu? Moet er worden gepraat? Ik heb er geen idee van hoe we dit gesprek moeten beginnen. Dieter ziet er moe uit, maar hij is knap als altijd. Lotte zal nog veel afgunstige blikken ontmoeten als zij met hem op stap gaat. Ik ben benieuwd wat voor een meisje zij is. Hans vertelde dat ze verstandig is. En knap, maar dat verwondert me niet. Dieter heeft altijd oog gehad voor mooie meisjes. Al zijn vriendinnetjes die hier over de vloer kwamen, mochten er best zijn. Hij leek erg zeker van zijn relatie, gisteren.

Volgens mij is hij tot over zijn oren verliefd. Maar goed ook, natuurlijk. Als ze nu al niet meer verliefd zouden zijn...

Hans schuifelt op zijn stoel.

Eindelijk! Hij is thuis. De stoel aan het raam. Sublieme zet. Zo ver mogelijk van ons drieën weg en nog net in dezelfde ruimte. Ver en dichtbij tegelijkertijd. Qua symboliek kan dat tellen! Je hebt er eigenlijk nooit echt bij gehoord, Dieter. Altijd dwarsliggen. Voortdurend in de clinch met pa. En met mij. Botsende karakters. Uiteenlopende interesses. Groot leeftijdsverschil. Toen ik met je wou spelen, was jij te klein. En toen jij met mij wou spelen, was ik de kinderspelletjes ontgroeid. Wij hebben niets met elkaar gemeen. Wanneer hebben we voor het laatst met elkaar gepraat? Ik bedoel écht gepraat. Van broer tot broer.

Veerle neemt een grote kleurige mok. Handig mikt ze er een suikerklontje in. Dan vult ze de beker half met koffie. De rest vult ze aan met melk. Voorzichtig roerend wandelt ze naar haar jongste zoon. Dieter kijkt haar onbewogen aan.

Dag ma met de wallen, dag pa zonder ballen, dag grote broer. Allemaal zo stil? En al op? Of

nog steeds op? Dat kan natuurlijk ook. 't Is hier in ieder geval rustig. Precies zoals jij het graag hebt, pa. Rust en stilte terwijl jij je krant leest en naar het radionieuws luistert. Het nieuws van de grote wereld. Dat interesseert je. De nieuwtjes in huis laten je Siberisch. Behalve dan dat ene nieuwtje van gisteravond.
Wat was er al die jaren zo verschrikkelijk aan mij, pa? Waarom heb je nooit van mij kunnen houden? Ik zal het wat gemakkelijker voor je maken. De eerste stap zetten. Duidelijkheid brengen in onze 'relatie'. Hierbij ben je ontslagen. Hoor je me? Hier is je C4. Het is officieel nu. Ik ontsla je van al je vaderlijke verplichtingen. Wat mij betreft, mag je gaan. Ik heb je niet meer nodig. Nooit nodig gehad. Er is niets wat ons bindt. Jij bent beter af zonder mij. En ik zonder jou. Het ga je goed. Of niet goed. Kies voor jezelf!

Dieter neemt de kop koffie van zijn moeder aan. Hij knikt haar bijna onmerkbaar toe. Dan drinkt hij van zijn koffie, luid slurpend. Met ingehouden woede kijkt Hugo hem aan. Hij schuift de krant van zich weg.
Slurp maar, Dieter. Probeer me maar uit mijn tent te lokken. Het zal je niet lukken, makker.

Deze keer niet. Provocateur. Waar heb je de hele nacht gezeten? Bij dat wicht waarschijnlijk. Bij Lotte. Of op Lotte. Voor de zekerheid. De vrucht vervolledigen. Het werk afmaken. Waarom doe je ons dit aan? Waarom doe je mij dit aan? Stank voor dank.

Hans' ogen ontmoeten die van zijn broer. Met moeite slaagt hij erin een glimlach te onderdrukken.

Wat een lef! Slurpen. Zo luid. Dat doe je met opzet. Je weet dat pa dat helemaal niet verdraagt. Slurpen, smakken, neus optrekken, scheten laten... De beste manier om pa op stang te jagen. Moet je hem zien zitten. Hij geeft geen krimp. Geen opmerking. Geen waarschuwende blik. Niets! Schitterend, broertje! Jij hebt ballen aan je lijf! Nooit gedacht dat je zoveel gevoel voor drama had.

Dieter neemt nog een slok. Met nog meer overgave én geluid. Ondertussen trakteert hij Hans op een samenzweerderige knipoog.

Luister! Ik slurp. Niet gehoord? Nog eens. Luider. Dat is je straf, pa. Je verdiende straf. Voor alles wat je niet gedaan of gezegd hebt. Geen reactie. Ah! Nu toch! Waarom schuif je de krant van je weg? Op mij moet je niet letten. Ik

blijf niet lang. Ik kom alleen nog even van de speciale sfeer proeven. Wat kleding ophalen, mijn cd's, mijn fiets, wat kleine spullen. Afscheid nemen. Definitief. Dan ben ik weg. Voorgoed. Ben je van mij af. En ik van jou. Waarom ik er toch nog even gezellig bij kom zitten? Macht der gewoonte, pa. Daar moet je niet meer achter zoeken. Ik heb hier tenslotte achttien jaar gewoond. En ik doe het ook een heel klein beetje om je te jennen, pa. Dat geef ik toe. En uit trots. Ja, pa. Trots. Ik ben niet van plan met de staart tussen de benen te vertrekken. Ik ben niet achterbaks. Ik ben geen lafaard. Ik ben jou niet. Gelukkig maar.
Waar ik ga wonen? Wil je dat echt weten? Bij Lotte natuurlijk. Ik ben daar namelijk welkom. Lotte en ik hebben de hele nacht gepraat. En een keer stevig gevrijd. Niet bang zijn, pa. Ik heb haar niet nog eens extra zwanger gemaakt. Dat was ze al. Nog steeds. We hebben lang over onze toekomst gepraat. En over jou natuurlijk. We hebben twee belangrijke beslissingen genomen. Eén: we gaan de kleine houden. En twee: we gaan voorlopig niet trouwen.
Over de eerste beslissing waren we het niet meteen eens. Toegegeven, je hebt me gisteravond

een beetje aan het twijfelen gebracht. Voor alle duidelijkheid: een abortus zit er toch niet in, pa. Die optie is uitgesloten. Je had Lottes reactie moeten zien toen ik het haar vertelde. Ze vindt jou een arrogante klootzak. Vreemd hoe iemand die je niet kent en je zelfs nog nooit heeft ontmoet, je toch perfect kan samenvatten. Hugo, de arrogante klootzak. De nagel op de kop.

Plots klinkt een luide kreet. Een keukenmes stuitert op de vloer.
'Au!' roept Veerle.
Vlug steekt ze haar bloedende vinger onder de koudwaterkraan.

Het is maar een klein sneetje. Niets ernstigs. Overkomt me anders nooit. Het stelt niets voor in vergelijking met wat achter mij aan de hand is.

Als Lotte Dieter weet aan te pakken, zal hij haar gelukkig maken. Dieter wordt ongetwijfeld een goede vader. Op familiefeestjes is hij degene die de kinderen animeert. Hij trekt dat aan. Ze zijn allemaal even dol op hem. Mijn kleine jongen. Warm, lief, vrolijk, aanhankelijk, ontwapenend... Soms iets te scherp, maar zo zit hij nu eenmaal in elkaar. Het hart op de tong. Hij meent dat niet. Dat is het verschil met Hugo. Hugo kent Dieter niet. Heeft hem nooit willen kennen, willen toelaten in zijn leven... Nu wreekt zich dat. Ik weet niet of het met praten nog opgelost raakt.

Met een breed gebaar zet Dieter zijn mok op de vensterbank. Hij schopt zijn schoenen uit en rolt de pijpen van zijn jeans enkele centimeters op.

Ik heb gisteren je zwakste eigenschap ontdekt, pa. Je hebt er natuurlijk veel meer, maar er is er eentje waarin je uitgesproken zwak bent. Je kunt je totaal niet in een ander inleven, pa. Zelfs je eigen kinderen laten je koud.

Ik ben niet bang om vader te worden. Integendeel. Ik kijk ernaar uit. Een zoontje, of een dochter. Het lijkt me fantastisch. Natuurlijk schrikt het idee me ergens ook wel af. Ik weet niet of ik in staat ben een kind groot te brengen. Maar wanneer weet je dat wel? Of ik nu pa word op mijn achttiende of op mijn dertigste, spannend blijft het altijd. Het was natuurlijk leuker geweest als ik op een beetje steun of begrip van je had kunnen rekenen. Ik zal het helaas zonder jouw goede raad moeten stellen, pa. Jammer. Jij hebt me de voorbije jaren

immers veel geleerd. Maar ik treur niet. Je hebt me sowieso al heel wat bagage voor later meegegeven. Opvoeden lijkt me gemakkelijk als je zo'n goede leerschool hebt gehad. Gewoon alles anders doen dan jij deed en het komt goed. Wat ik daarmee bedoel? Af en toe eens luisteren naar wat je kinderen te vertellen hebben, is bijvoorbeeld al een begin, ook als je bij voorbaat denkt dat zij ongelijk hebben. Een enkele vrije zaterdagmiddag 'opofferen' om tijdens de voetbalwedstrijd bij de zijlijn voor hen te supporteren. Doen andere vaders wel eens. Ik heb er de laatste jaren veel horen schreeuwen, maar jouw stem zat er nooit tussen. Hoewel. Ik moet eerlijk blijven. Eén keer was je er. Eén keer, pa! Weet je nog? Het moet een jaar of vijf, zes geleden zijn. Enkele weken vóór de vorige gemeenteraadsverkiezingen. Toen vond je het nuttig je op zo veel mogelijk verschillende terreinen te laten zien. Ook op mijn voetbalterrein. Stemmen ronselen. Even dacht ik dat je speciaal voor mij was gekomen. Zo naïef was ik toen nog. Goedkoop, pa. Politieke prostitutie. Meer niet.
Voorts zijn er nog de kleine, banale relatieondersteunende activiteiten die in vele

gezinnen schering en inslag zijn. Af en toe een zoen, een knuffel, een vriendschappelijk schouderklopje, een gezelschapsspel, een wedstrijdje armworstelen, paardjerijden op de knie... Om er maar enkele te noemen. Ik herinner me niet één keer dat jij me op schoot hebt genomen. Geen enkele keer, pa! Voor alle duidelijkheid: nu hoeft het ook niet meer. Nee! Ik kruip niet op je schoot. Je krijgt geen zoen. Het is te laat. Had je vroeger mee moeten beginnen. Achttien jaar geleden bijvoorbeeld.

Dieter werpt een snelle blik op zijn broer. Hans zit achterover gezakt op zijn stoel.

Hans zit er ook weer bij als de bloemzak die hij is. Pa's vleesgeworden norm. Hans toch! Eén keer ben ik erin geslaagd je onaantastbare imago een deuk toe te brengen. Herinner je je nog? Het pornoboekje op je bureau? Dat had ik daar gelegd! Je hebt het altijd vermoed, maar je kon niets bewijzen. Dieter kon dat niet gedaan hebben. Dieter was veel te jong. Net zijn Eerste Heilige Communie achter de rug. Nog een klein kind. De korte broek amper ontgroeid. Wil je weten hoe het echt gegaan is, Hanske? Ik herinner het mij nog heel precies. Tot in alle smeuïge details.